KB144663

MILITARY ENGLISH
군 사 영 어

김호용 · 홍수미 공저

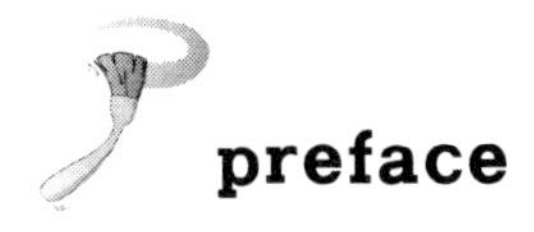

preface

지구상의 모든 국가들은 급변하는 환경에 신속하게 적응하면서 국가 간 협력을 꾀하면서도 자국의 이익을 위해서 부단하게 노력을 하는 것이 현재의 모습이다.
이러한 가운데 대한민국은 지구상 마지막 분단국으로서, 미국과 혈맹관계를 60여 년간 지속 유지해 오고 있다.
북한의 전쟁위협이 최근에는 미사일과 핵개발로 이어지면서 한미동맹의 중요성은 더욱 말할 나위가 없으며, 따라서 향후 대한민국 군대를 이끌어갈 간부들은 군사영어에 능통해야 함은 자명한 사실이다.
그러므로 장차 군대의 간부가 되기 위해 노력하는 군사관련 학과 학도에게는 미군의 군사용어, 군사작전, 등을 이해하고 의사소통을 할 수 있는 능력을 구비해야 할 것이다.
특히 부사관 학과나 학생들을 위하여, 영문법의 체계적인 정리와 학습효과를 극대화 시키며, 기초 군사영어를 단계적으로 이해시키는데 중점을 두고 서술하였다.
한편, 이 책은 영문법의 기초를 습득하면서, 영어에 자신감을 가질 수 있도록 하고, 추가적인 어휘력을 겸비하며, 군사영어에 기초부터 접근, 현장 실무영어를 구사할 수 있도록 구성 되었다. 본 책을 출간함에 있어 최선을 다했으나, 배우는 학생들에게 좀 더 쉽고 가깝게 접근되었는지는 다소 아쉬움이 있다.
하지만, 여러분! 영문법의 기초를 먼저 이해하고, 자신감을 가지고 어휘력을 갖추면서, 군사영어를 단계적으로 학습을 한다면, 자신도 모르는 사이에 향상된 영어실력을 갖추고, 자긍심을 갖게 될 것입니다.
끝으로 이 책이 나오기 까지 집필에 동참한 교수님과 출판사 사장님께 깊은 고마움과 감사를 드리며 특히 군사학과 및 부사관 학과 학생 여러분의 지속적인 관심과 사랑에 감사드립니다.

2013 . 9. 저자일동

| 목차 |

CONTENTS

PART 1 — Basic Grammar / 11

PART 2 — Basic Military Terms / 191

PART 3 — Military Sentence / 215

PART 1

Basic Grammar

PART 1
Basic Grammar

UNIT 1 명사 (Noun)

[집, 사람, 산, 구름, 물, 우유] 따위와 같이 사람 또는 사물의 이름을 나타내는 말을 **명사 (Noun)** 라고 한다. 명사는 우리말과 달라서 단수•복수의 구별이 있고, 소유격을 만드는 격변화와 남성•여성•중성 등 성의 변화가 있다.

01 명사의 종류와 용법

1. 보통명사 (Common Noun)

[집, 사람, 나무, 책] 따위와 같이 보통 사물의 이름을 나타내는 명사를 **보통명사**라 한다.

① 보통명사의 특징

가) 일정한 모양이 있다.

나) 개수로 셀 수 있다.

버스(bus) ☞ 한 대 (a bus), 두 개(two bus),
세 대(three bus)

다) 「하나」를 뜻하는 단수형과 「두 개 이상」을 뜻하는 복수형의 구별이 있다.

단수 : a book a doctor a girl a knife
복수 : books doctors girls knives

라) 단수형에는 반드시 관사(a, an, the), 또는 관사와 대치할 수 있는 말(one, my, your, his, our, that, Tom's 따위)이 앞에 와야 한다.

This is my book. (이것은 내 책 이다.)
I have a pencil. (나는 연필을 가지고 있다.)

2. 집합명사(Collective Noun)

집합명사는 여럿이 모여서 하나가 된 것, 즉 같은 종류의 집합체를 나타내는 명사이다.

① 집합명사의 특징

가) 단수 • 복수의 구별이 있다.

Two families live in this house.
(두 가족이 이 집에서 살고 있다.)

나) 단수형의 경우에는 관사 또는 관사와 대치할 수 있는 말(my, our 따위)이 필요하다.

My family is large. (우리 가족은 대가족이다.)

다) 집합명사의 대표적인 것

family - 가족	class - 학급	team - 팀, 편
party - 당, 무리	people - 민족	nation - 국민

② 집합명사의 두 가지 용법

가) 단수 취급: 전체 구성원을 하나의 집합체로 생각할 때.

나) 복수 취급: 집합체를 구성하고 있는 사람들 하나하나에 중점을 두어 생각할 때.

3. 고유명사(Proper Noun)

하나밖에 없는 사람이나 사물의 이름을 가리키는 명사를 고유명사라 한다.

① 고유명사의 특징

가) 첫 글자가 대문자이다.

나) 원칙적으로 관사가 붙지 않는다.

John left for korea yesterday.
(존은 어제 한국으로 떠났다.)

② 고유명사는 대체로 인명 • 지명이다.

인명 : John, Mary, Tom, Shakespeare
지명 : Korea, London, Seoul, New York
천체 : Venus (금성), Mars (화성)
주일 • 월 • 축제일 : Sunday, Monday, March, Christmas

③ 정관사 the를 붙이는 고유명사

공공건물 : the White House (백악관), the Blue House (청와대)
해양 : the Atlantic (대서양), the Pacific (태평양)
강 : the Thames (템스 강), the Mississippi (미시시피 강)
운하 : the Panama Canal (파나마 운하)
만 : the Bay of Hudson (허드슨 만)
산맥 : the Himalayas (히말라야 산맥), the Rockies (로키 산맥)
반도 : the Balkan Peninsula (발칸 반도)
복수 지명 : the Philippines (필리핀 반도)
the United States of America (미합중국)
배이름 : the Mayflower (메이플라워 호)
열차 이름 : the Saemaeul (새마을 호)
간행물 : the New York Times (뉴욕 타임즈)
가족이름 : the Bourbons (부르봉 왕가),the Kims (김씨 가족)
사람이름 : the ambitions Caesar (야심에 찬 시이저)
the late Mr. Smith (고(故) 스미드씨)

4. 물질명사 (Material Noun)

물질 • 자료 • 음식물의 이름을 나타내는 명사를 물질명사라 한다.

재료 : wood (목재), stone (석재), earth (흙), paper (종이)
음식물 : sugar (설탕), meat (고기), butter (버터), fruit (과일)
물질 : gold (금), silver (은), snow (눈), water (물), air (공기)

① 물질명사의 특징

가) 물질명사는 일정한 형태가 없으며, 하나, 둘하고 개수로 셀 수가 없다.

나) 복수형을 취할 수 없으며, 「하나」의 뜻인 a, an을 붙일 수 없다.

We cannot live without water.
(우리는 물 없이는 살 수가 없다.)

There is much coffee in the can
(깡통 안에 커피가 많이 있다.)

② 물질명사의 분량을 나타내는 법

단수 : a piece of paper (종이 한 장)
a glass of water (물 한 컵)

복수 : two glasses of milk (밀크 두 컵)
three cups of tea (차 세 잔)

③ 음식점에 주문할 때의 표현 <보통명사 취급>

Please give me an ice cream. (아이스크림 한 개만 주세요.)
Bring us two coffees. (커피 두 잔 가져다주세요.)

5. 추상명사 (Abstract Noun)

어떤 사물의 실체가 아니라, 그 사물이 가지고 있는 「성질이나 상태」 또는 그 사물이 행한 「행위」를 나타내는 명사이다.

① 추상명사의 특징

가) 수로 셀 수 없기 때문에 복수형을 취하지 않는다.

나) 부정관사 a, an이 붙을 수 없다.

② 추상명사 만드는 법

가) 형용사 → 추상명사

dark(어두운) → darkness(어둠)
long(긴) → length(길이)
free(자유로운) → freedom(자유)

나) 동사 → 추상명사

live(살다) → life(생존, 인생)
see(보다) → sight(시각)
act(행하다) → action(행위)

다) 보통명사 → 추상명사

child(아이) → childhood(어린 시절)

③ 추상명사의 특별 용법

가) **all+추상명사=추상명사+itself=very+형용사**(대단히~한)

She is all kindness. (그녀는 아주 친절하다.)
= she is very kind.

He is diligence itself. (그는 대단히 부지런하다.)
= He is very diligence.

나) **of+추상명사=형용사**

He is a man of ability.
= He is an able man. (그는 능력 있는 사람이다.)

다) **with+추상명사=부사**

You can do it with ease (=easily)
(너는 그것을 쉽게 할 수 있다.)

02 명사의 전환

고유명사나 물질명사 등이 보통명사로 쓰이기로 하고, 또 보통명사가 다른 종류의 명사로 쓰이는 것을 명사의 전환이라고 한다.

보통명사로 전환

다른 종류의 명사가 보통명사로 쓰이는 경우, 뜻이 달라진다.

① 고유명사 → 보통명사

가) 「….가[집안]의 사람」 (가족 • 동족을 나타냄)

Her mother was a Tudor.
(그녀의 어머니는 튜더가 [집안]의 출신이었다.)

나) 「….라는 이름의 사람」, 「….라는 사람」

There are three Changhos in our class.
(우리 학급에는 창호라는 이름을 가진 사람이 셋 있다.)

A Mr. Kim came to see you.
(김 씨라는 사람이 당신을 만나러 왔었다.)

다) 「….와 같은 사람」

He may be called a second Newton.
(그는 제 2의 뉴턴이라고 부를 만하다.)

라) 「….의 작품, 제품」

There are two Rembrandt in the gallery.
(그 미술관에는 렘브란트의 그림이 두 점 있다.)

② 물질명사 → 보통명사

가) 「….제품」 I saw three glasses on the table.
(그 식탁에는 유리컵 세 개가 있다.)

나) 「….종류」 They sell various wines at that store.
(저 상점에서는 온갖 종류의 술을 팔고 있다.)

③ 추상명사 → 보통명사

kindness (친절) → <보통명사>many kindnesses
(온갖 친절한 행위)

beauty (아름다움) → <보통명사>a beauty (미인)

03 명사의 형태

명사의 수 (數)

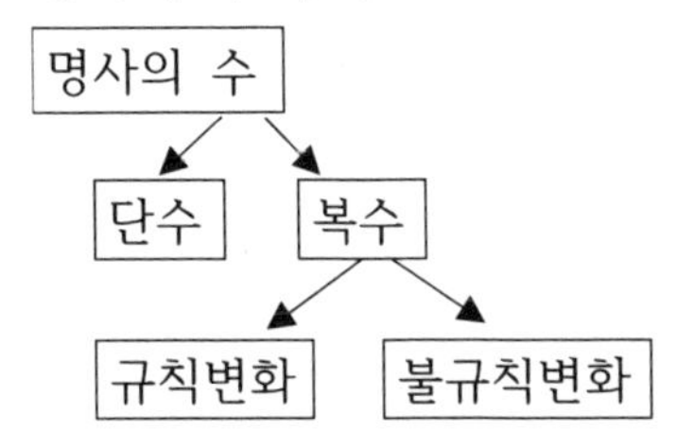

우리말로 「책 한 권, 두 권」이라는 영어에서는 a book, two books라 한다. 즉, book 이 book로 형태가 바뀐다. 「하나」를 나타내는 멸사의 형태를 단수, 「둘 이상」을나타내는 명사의 형태를 복수라 한다.

1. 규칙적인 복수형

명사의 단수형에 -s 또는 -es를 붙여 복수형이 된 단수•복수의 변화를 규칙변화라 한다.

① 복수형 만드는 법

가) 대개는 단수형에 -s를 붙인다.

books (책)　dogs 개)
caps (모자)　hens (암탉)

나) 낱말 끝이 s, ss, ch, sh, x, z로 끝나는 단어에는 -es를 붙인다.

buses (버스)　dishes (접시)
boxes (상자)　classes (학급)
churches (교회)

다) o로 끝나는 단어에는 -es, 또는 -s를 붙인다.

<자음자+o> echoes (메아리)

tomatoes (토마토)

heroes (영웅)

<예외> pianos (피아노) photos (사진)

<모음자+o> zoos(동물원), radios(라디오)

라) <자음자+y>로 끝나는 단어는 y를 I로 고치고 -es를 붙인다.

story (이야기) → stories party (파티) → parties

city (도시) → cities

마) <모음자+y>의 경우는 s만 붙인다.

day → days key → keys journey → journeys (여행)

바) f 또는 fe로 끝나는 단어에는 f를 v로 고치고 -es를 붙인다.

life → lives (생명) wife → wives (아내)

wolf → wolves(늑대)

<예외> roofs (지붕) safes (금고) chiefs (두목)

② -s, -es 의 발음

가) 유성음 (g, w, n, y, d 따위) 뒤 → [z]

dogs [dæ:gz] cows [kauz]

나) 무성음 (f, k, θ, f 따위) 뒤 → [s]

cats [kæts] roofs [ru:fs]

다) 치찰음 (s, z, ʃ, tʃ 따위) 뒤 → [iz]

glasses [glǽsiz] boxes [báksiz]

2. 불규칙적인 복수형

명사의 단수형에 -s, -es를 붙여 복수형이 이루어지지 않는 단수•복수의 변화를 불규칙변화라 한다.

① 불규칙변화의 복수형

가) 모음만 변화하는 것

man (남자) → men
tooth (이) → teeth
goose (거위) → geese

나) -en, -ren을 붙이는 것

ox (황소) → oxen
child (아이) → children

다) 단수•복수가 같은 것

deer (사슴) → deer
trout (송어) →trout
sheep (양) → sheep

② 외래어의 복수형

원어 그대로 복수형을 쓴다.

formula (공식) → formulae (또는 -las)
datum (자료) → data
basis (기초) → bases
analysis (분석) → analyses
phenomenon (현상) → phenomena

3. 특수한 복수형

영어의 복수는 여러 가지 주의해야 할 복수와 그 만드는 법이 있다.

① 복합명사의 복수

가) 주요 부분이 되고 있는 명사를 복수형으로,

flower gardens (꽃밭, 화단), passers-by (통행인),
lookers-on (구경꾼), brothers-in-law (매형, 매제)

나) <man (또는 woman)+명사>의 경우, 양쪽 다 복수형으로,

men-servants (남자 하인), women-writers (여류 작가)

② 문자 • 숫자 • 약자의 복수

아포스트로피 s(-'s)를 붙여 만든다.

Dot your i's. (i dp 점을 찍어라.)
Your 5's look like 6's. (네가 쓴 5자는 6자처럼 보인다.)

③ 항상 복수형으로 쓰이는 명사

두 부분으로 이루어진 물건

scissors(가위), spectacles(안경), tongs(집게)

④ 단수형과 복수형의 뜻이 같지 않은 것

good (착함, 선) goods (상품), color (색) colors (군기)

⑤ 하나의 단수형에 두 개의 복수형을 갖는 것

brother ┌ brothers (형제들)
        └ brethren (동포)

penny ┌ pence (페니 금액)
      └ pennies (페니 개수)

⑥ 복합형용사 <수사+명사> 안에 있는 보통명사는 복수형을 취하지 못함.

a ten-dollar bill (10달러 지폐)

a six-room house (6방 집)

a four-leaf clover (네잎클로버)

04 명사의 격

「나는 꽃을 좋아한다.」에서, 명사「나는」은 주어, 「꽃을」은 목적어, 「좋아한다」는 술어동사이다. 명사가 문장 안에서 주어로 쓰였느냐, 즉 명사들이 다른 말에 대해서 가지는 문법적 관계를 격(格)이라 한다.

1. 격의 종류와 용법

격에는 3종류가 있다.

주격 : 「….은, …이 [가]」에 해당하는 말.

목적격 : 「…을, …에게」에 해당하는 말.

소유격 : 「…의」라고 소유 관계를 나타내는 말.

① 형태

가) 주격과 목적격은 형이 같다. 문장에서 어순으로 판단한다.

A knows B. (A는 B를 알고 있다.) (O)
(B는 A를 알고 있다.) (X)

Tom knows Judy Brown.(탐은 쥬디 브라운을 알고 있다.)
(주격) (목적격)

Judy Brown knows Tom.(쥬디 브라운은 탐을 알고 있다.)
(주격) (목적격)

나) 소유격은 <명사+- 's>로 이루워진다.

Tom's cap (탐의 모자) father's watch(아버지의 시계)

② 용법

가) 주격 : Kim is very kind.… <주어>
(김은 아주 친절하다.)

This boy is Kim.… <주격보어>
(이 소년이 김이다.)

나) 소유격 : Lucy likes Tom's brother.… <수식어>
(루시의 탐의 형을 좋아한다.)
This is Tom's pen. (이것은 탐의 펜이다.)

다) 목적격 : We love Tom.… <동사의 목적어>
(우리는 탐을 좋아한다.)

I go to school with Tom.… <전치사의 목적어>
(나는 탐과 함께 학교에 간다.)

We call him Tom.… <목적격보어>
(우리는 그를 탐이라고 부른다.)

2. 소유격을 만드는 법

명사는 단수형과 복수형이 있기 때문에, 소유격에도 단수형의 소유격과 복수형의 소유격이 각각 다르다.

① 단수명사의 경우 - 's를 붙인다.

Dick's uncle (Dick의 삼촌)
my wife's sister (아내의 누이동생)
a women's life (여인의 인생)
a cat's tail (고양이의 꼬리)

② 복수명사의 경우

가) -s로 끝날 때는 아포스트로피(')만 붙인다.

the boy's books (그 소년들의 책)
a girl's school (여학교)

나) -s 로 끝나지 않는 복수명사는 - 's를 붙인다.

	<소유격>	<소유격>
<단수>	a man - a man's	a child - a child's
<복수>	men - men's	children - children's

③ 복합어 • 어군일 때 – 마지막 말에 - 's를 붙인다.

the Queen of England's birthday
(영국 여왕의 탄생일)

Alexander the Great's portrait
(알렉산더 대왕의 초상화)

my brother-in-law's birthday
(매형[또는 매제]의 생일)

3. 무생물의 소유격

무생물을 나타내는 명사의 소유격은 <of+명사>의 형을 빌려 쓴다. 그러나 아포스트로피 s(-'s)를 쓰는 경우도 있다.

① <of+명사>의 형을 쓰는 경우

the legs of a desk <무생물> (책상다리)
cf. a horse's legs <생물> (말의 다리)

the corner of the room (방구석)

② 소유격('s)를 쓰는 경우

가) 의인법 - (사람이 아닌 것을 사람인 것처럼 표현)

the sun's rays (태양광선) Nature's law (자연의 법칙)
the earth's surface (지구의 표현)

나) 시간, 거리, 수량 따위

a tomorrow's meeting (내일의 모임)
a ten minutes' walk (걸어서10분 거리)
a dollar's worth (1달러의 가치)
a five miles' journey (5마일의 여행)

다) 관용구

to one's heart's content (마음껏, 실컷)
for pity's sake (불쌍히 여기고, 제발)
at one's journey's end (여로의 끝, 인생 항로의 종말)

4. 소유격이 나타내는 뜻

소유격은 John's car (존의 자동차)와 같이 소유의 뜻을 나타내는 것이 보통이지만, 「소유」만이 아니라, 여러 가지 뜻을 나타낸다.

① 소유격이 나타내는 4가지 뜻

가) 소유 : the boy's dog (그 소년의 개)
<소년이 가지고 있는 개>

나) 동작의 주체 : teacher's advice (선생님의 충고)
<선생님이 하시는 충고>

a mother's love (어머니의 사랑)
<어머니가 자식을 사랑함>

다) 동작의 목적 : Juliet's lover (줄리엣의 연인)

<줄리엣을 사랑하는 연인>

my son's education (아들 교육)

<아들을 교육시키는 일>

Caesar's murder (카이저 암살)

<(부루터스가)시이저를 암살함>

라) 대상 : a women's college (여자대학)

<여자만을 대상으로 하는 대학>

children's hour (어린이 시간)

<어린이 대상으로 상연 시간>

children's hospital (소아과 병원)

<= a hospital for children>

② **독립소유격** - 소유격 다음에 오는 house, shop, store 따위가 생략되어 소유격 자체가 「집, 건물」을 뜻하는 것.

I met her at my uncle's (house).
(나는 아저씨 댁에서 그녀를 만났다.)

He has gone to the barber's (shop) to have his hair cut.
(그는 이발하러 이발소에 방금 갔다.)

the dentist's (office) (치과 의원)

St. Paul's (Cathedral) (성 바오르 사원)

05 명사의 성(性)

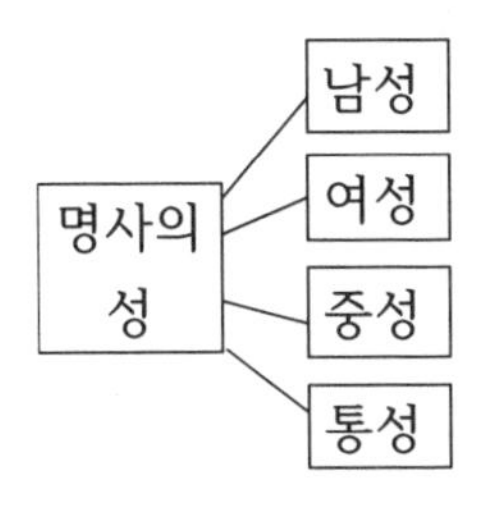

명사에는 father, boy 과 같이 남성을 가르키는 것과, mother, girl 과 같이 여성을 가리키는 것, house, book 과 같이 남성도 여성도 아닌 중성을 가리키는 parent(부모님), student 와 같이 남성에나 여성의 공통이 되는 통성을 가르키는 성의 구별이 있다.

1. 남성과 여성을 나타내는 법

남성과 여성을 구별하는 방법으로는 (1)**남성과 여성으로 구별되어 있는 명사를 쓰는 것** (2)**통성명사에 he-, she- ;male, female 따위의 성을 나타내는 말을 붙이는 것** (3)**남성명사에 -ess 따위를 붙여 여성명사를 만드는 것**. 3가지 방법이 있다.

① 남성과 여성으로 구별되어 있는 것

gentleman (신사) - lady (숙녀)
cock (수탉) - hen (암탉)
bull (황소) - cow (암소)
husband (남편) - wife (아내)
king (왕) - queen (여왕)

② 남성 또는 여성을 나타내는 말을 붙여서 된 것

he-goat (숫염소) - she-goat (암염소)
peacock (공작) - peahen (암공작)

tom-cat (수고양이) - she-cat (암고양이)
bull-elephant (수코끼리) - cow-elephant (암코끼리)
boy friend (남자 친구) - girl friend (여자 친구)

③ 남성명사에 -ess 따위가 붙어 여성명사가 된 것

host (주인) → hostess (여주인)
lion (사자) → lioness (암사자)
prince (왕자) → princess (공주)
actor (배우) → actress (여배우)
god (신) → goddess (여신)

2. 명사 성의 특별용법

명사를 대명사로 받을 때, 남성에는 he, 여성에는 she, 중성에는 it를 쓰는 것이 원칙이다. 그러나 the sun, the moon 따위와 같은 무생물이나, anger(분노), liberty(자유) 따위와 같이 추상적인 성질 등은, 본래 중성인데도 경우에 따라 성별을 가지기도 한다.

① 남성으로 취급되는 것 - 「강한 것, 위대한 것, 무시무시한 것」 등

the sun(태양)　ocean(대양)　death(죽음)
war(전쟁)　time(시간)　winter(겨울)

② 여성으로 취급되는 것 - 「가냘픈 것, 생산적인 것, 아름다운 것」 등

the moon(달)　the earth(지구)　nature(자연)
victory(승리)　virtue(미덕)　spring(봄)

UNIT 2 관사 (Articles)

관사는 항상 명사 앞에 쓰이기 때문에 일종의 형용사로 취급된다. 그러나 형용사처럼 여러 가지 성질은 없고, 다만 명사에 관처럼, 즉 모자처럼 씌워져서 관사라고 한다.
관사에는 부정관사 a, an 과 정관사 the가 있다.

1. 부정관사

부정관사 a, an은 셀 수 있는 명사의 단수 앞에 쓰인다. a, an은 one 이 변화된 것으로 one의 뜻인 「한, 하나의」를 약하게 나타낸다.

① 부정관사의 종류

가) a : 자음 앞에

a boy	a pencil	a hen	a nurse
a dog	a book	a window	a map

나) an : 모음 (a, e, i, o, u)앞에

an apple	an egg	an ink
an uncle	an umbrella	an orange

② 부정관사의 용법

가) 「하나의, 한」이라는 약한 뜻을 나타냄.

He is a famous writer.(그는 유명한 작가이다.)

나) one을 대신한 「하나의」 뜻

There are four seasons in a year.
(일 년에는 4계절이 있다.)

다) the same 「같은」의 뜻

They are of an age.(그들은 동갑이다.)
Birds of a feather flock together.
(같은 깃의 새는 한데 모인다. - 끼리끼리 모인다.)

라) per 「…마다」의 뜻

We work eight hours a day(하루에 8시간 일한다.)

마) a certain 「어떤」의 뜻

A Mr. Brown came to see you.
(브라운이라고 하는 분이 당신을 뵈러 왔었습니다.)

바) 종류 전체를 대표하여 「…라고 하는 것」

A dog is a faithful animal.
(개 (라고 하는 동물)는 충실한 동물이다.)

2. 정관사

정관사 the 는 that 가 변형한 것이다. 따라서 「그…」라는 가벼운 뜻으로 특정한 것을 가리킬 때 쓰이므로, the는 셀 수 있는 명사나 셀 수 없는 명사에 모두 쓰인다.

He read the book.(그는 그 책을 읽었다.)<셀 수 있는 명사>
He drank the tea.(그는 그 차를 마셨다.)<셀 수 없는 명사>

① 정관사의 용법

가) 앞에 나온 명사를 가리킬 때 - 가볍게 「그」 정도의 뜻

My uncle gave me a book yesterday. This is the book.
(삼촌이 어제 나에게 책 한 권을 주셨다. 이것은 그 책이다.)

나) 무엇을 가리키는지 명백할 때

Will you please shut the window?
(창문을 닫아 주시겠어요?)

다) 수식어로 한정을 받을 때

They are the students of this school.
(저들은 이 학교의 학생들이다.)

This is the book that I bought yesterday.
(이것이 어제 내가 사 온 책이다.)

라) 서수•최상급의 형용사 앞에

Jack is the best pupil in the class.
(잭은 학급에서 가장 우수한 학생이다.)

Monday is the second day of the week.
(월요일은 주일의 둘째 날이다.)

마) 유일한 것을 가리킬 때

the sun(태양)   the earth(지구)
the moon(달)   the world(세계)

바) 단위를 나타낼 때

pencils are sold by the dozen.
(연필들은 12개씩 묶음으로 팔린다,)

사) 대명사의 소유격 대신으로

He struck me on the head.
(그는 나의 머리를 때렸다.)

아) <the+단수명사>로 종류 전체를 나타냄

The dog is a faithful animal.(개는 충실한 동물이다.)

3. 관사의 위치

관사는 명사 앞에 위치하기 때문에, 명사 앞에 형용사 • 부사 따위의 수식어가 와도 그 앞에 위치하는 것이 보통이다.

그러나 수식어에 따라서 관사의 위치가 달라지는 것이 있다.

a very great man <관사+부사+형용사+명사>

① 수식어가 관사 앞에 오는 경우

가) Both the parents are still living.
(양천이 아직 살아 계시다.)

나) Many a man has made the same mistake.
(똑같은 잘못을 저지른 사람들이 많다.)

다) I never know such a man.
(나는 그런 사람을 처음 보았다.)

라) We waited for half an hour.
(우리들은 30분 동안 기다렸다.)

마) I stayed there quite a long time.
(나는 꽤 오랫동안 거기에 머물러 있었다.)

바) He is rather a kind man. (그는 좀 친절한 편이다.)

사) Tom is as diligent a boy as Jack is.
(탐은 잭처럼 부지런한 소년이다.)

아) What a beautiful flower this is!

=How beautiful a flower this is!

(이 꽃은 참 예쁘구나!)

② <명사+and+명사>와 관사

가) 관사+명사and명사 - 동일한 것[사람];두 개가 밀접한 것

The editor and publisher is my cousin.

(편집자 겸 발행인이 나의 사촌이다.)

a watch and chain (줄이 달린 시계)

a cup and saucer (받침접시 딸린 찻잔)

the bride and bridegroom (신랑신부)

나) 관사+명사 and 관사+ 명사 - 각각 다른 것

The editor and the publisher are both my cousins.

(그 편집자와 발행인은 모두 나의 사촌이다.)

4. 관사의 생략

보통명사에는 원칙적으로 관사가 붙는데, 다음과 같은 경우에는 관사가 생략된다.

① 호격어 앞에

Waiter, give me another cup of tea.

(웨이터, 차 한 잔 더.)

② 관직 • 신분을 나타내는 말 앞에

가) 칭호로 쓰이는 경우 :

Queen Elizabeth Ⅱ (엘리자베스 2세)
President Lincoln (링컨 대통령)

나) 고유명사와 동격으로 쓰이는 경우:

Winston Churchill, Prime Minister of Great Britain
(영국 수상, 윈스턴 처칠)

다) 불완전동사의 보어로 쓰이는 경우 :

He was appointed principal of this school.
(그는 이 학교의 교장으로 임명되었다.)

③ 가족 관계를 나타내는 말 앞에 - <고유명사로 취급>

Mother is out in the garden. (어머니는 정원에 나가 계시다.)
Baby is crying. (아기가 울고 있다.)

④ 건물 따위가 본래의 목적을 나타낼 때

He is still in hospital. (그는 아직 입원 중이다.)
School is over. (수업이 끝났다.)
We go to church on Sunday. (일요일에 교회에 간다.)

⑤ 식사 • 병을 나타내는 말 앞에

We have breakfast at nine.
(우리는 9시에 아침 식사를 한다.)

He died of stomach cancer. (그는 위암으로 죽었다.)

⑥ 관용어구 중에서

가) 교통수단을 나타낼 때 : by~,on~

by car (자동차로) by land (육로로)
by airplane (비행기로) by sea (바다로)
on foot (걸어서) on horseback (말을 타고)

나) 2개의 단어가 서로 결합하여 구를 만들 때

hand in hand (손에 손을 잡고) arm in arm (팔짱을 끼고)
from mouth to mouth (입에서 입으로)
mother and child (부모자식) rich and poor (부자와 거지)
man and wife (부부)

UNIT 3 대명사 (Pronouns)

대명사는 문자 그대로 명사를 대신하는 말로 용법이 명사와 같다. 성•수•격의 변화는 명사에 따른다. 대명사는 5가지로 분류하는데, 여기서는 그 중 관계대명사를 따로 취급했다.

대명사의 종류	1) 인칭대명사……I, you, he 따위 2) 지시대명사……this, that 따위 3) 부정대명사……any, some, all 따위 4) 의문대명사……what, who 따위 5) 관계대명사……who, which, that 따위

* 인치대명사 안에는 소유대명사와 재귀대명사도 들어 있다.

01 인칭대명사

1. 인칭의 구별

인칭대명사는 「말하는 이」를 가리켜 1인칭, 「듣는 이」를 가리켜 2인칭, 그 이외의 제 삼자를 가리켜 3인칭이라고 구별한다.

① 인칭대명사의 수•성과 격

수	인칭	격 성	주격	소유격	목적격
단수형	1인칭 2인칭		I 나는[내가] you 당신은[이]	my 나의 your 당신의	me 나를[나에게]
	3인칭	남성: 여성: 중성:	he 그는[가] she 그녀는[가] it 그것은[이]	his 그의 her 그녀의 its 그것의	him 그를[에게] her 그녀를[에게] it 그것을[에게]
복수형	1인칭 2인칭 3인칭		we 우리들은[이] you 당신들은[이] they 그들은[이]	our 우리들의 your 너희들의 their 그들의	us 우리를[에게] you 너희들[에게] them 그들을[에게]

② 일반인칭 we, you, they

가) Father and I went to seoul. We stayed there overnight.
(아버지와 나는 서울에 갔다. 우리는 그곳에서 하룻밤을 보냈다.)

나) We had much snow last year.
(작년에는 눈이 많이 왔다.)

You should obey your parents.
(사람은 자기 양친에게 복종해야만 한다.)

2. it의 특별용법

it는 대명사로 <the+명사>의 뜻 이외에, 「날씨, 거리, 시간, 날짜」 따위를 나타내는 형식상의 중어, 또는 It~to…….It~that…의 구문을 이루는 가주어로 쓰인다.

① <the+명사>의 뜻인 it

1) I have a car, and I like it (=the car) very much.
2) I want a car, but I have no money to buy one (=a car)

② 날씨 • 시간 • 명암 • 거리 따위를 나타내는 it

It snows. (눈이 온다.)
It rains. (비가 온다.)
What time is it? (몇 시냐?)
It is summer now. (지금은 여름이다.)
It is very cold in winter. (겨울은 무척 춥다.)
It is not yet dark. (아직 어둡지 않다.)
It is four miles to London. (런던까지 4마일이다.)

③ 가주어 it

가) It ~ to 구문

To do this work is difficult. (이 일을 하는 것은 어렵다.)

It is difficult to do this work.

(가주어) (진주어)

나) It ~ that…의 구문 <용법은 가>와 같다.

It is natural that you should say so.

(네가 그렇게 말하는 것은 당연하다.)

④ 가목적어 it

I found **A B**. (A가 B라는 것을 알았다.) …(1)

I found **to do this work difficult**. …(2)

A **B**

(이 일이 어렵다는 것을 알았다.)

(A) 자리에 it를 넣고, (A)는 (B) 뒤에 위치함.

I found **it** difficult **to do this work**. …(3)

(가목적어) (진목적어)

⑤ 강조 구문에 쓰이는 it

It is [was] ( ) that… 의 형식으로 문장의 강요되는 부분을 ( )에 넣는다.

Tom broke the window yesterday. (탐은 어제 창문을 깨뜨렸다.)

→ It was Tom that broke the window yesterday.

3. 재귀대명사

인칭대명사의 소유격이나 목적격에 -self 또는 -selves를 붙어 「…자신」의 뜻을 나타내는 대명사를 재귀대명사라고 한다.

① 인칭에 따른 재귀대명사의 여러 가지

인칭 대명사 단수형에는 -self를 붙이고, 복수형에는 -selves를 붙여 만든다.

인칭	단 수	복 수
1인칭	myself 나 자신	ourselves 우리들 자신
2인칭	yourself 너 자신	yourselves 너희들 자신
3인칭	himself 그 자신 herself 그녀 자신 itself 그것 자신	themselves 그들 자신

② 재귀대명사의 용법

가) 재귀용법: 주어의 동작이 다시 자신에게 돌아오는 경우

He killed himself. (그는 자신을 죽였다 → 자살했다.)

She laid herself on the grass.

(그녀는 풀 위에 자신을 눕혔다. → 풀 위에 누었다.)

Hee taught himself. (그는 도착했다.)

나) 강조용법 : 주어 • 목적어 • 보어의 뜻을 강조하는 경우

You must do it yourself. <주어를 강조>

(너는 네 자신이 그것을 해야 한다.)

The matter itself is clear. <주어를 강조>

(그 문제 자체가 명백하다.)

It was Tom himself that broke the window. <보어를 강조>

(Tom 자신이 창을 깼다.)

I want to see Mary himself <목적어 강조>

(나는 메리 자신을 만나고 싶다.)

③ 재귀대명사를 쓰는 관용어구

for oneself (스스로, 독력으로)
by oneself (홀로, 혼자서)
of itself (저절로)
beside oneself (제 정신을 잃고)

02 지시대명사

This 와 That

this는 비교적 가깝게 있는 것을 가리키어 「이것」 that은 그보다 먼 곳에 있는 것을 가리키어 「저것」이라는 뜻을 나타낸다. this의 복수는 there, that의 복수는 those이다.

① 거리 : 가까운 것 this, 먼 것 that

Which do you want, this or that?
(이것과 저것 중에 어떤 것을 원하니?)

② 시간 : this는 「현재」에, that은 「과거」에 쓰이고, these는 「현재의 기간」, those는 「과거의 시간」을 나타냄.

I shall be sixteen years old this year.
(나는 금년에 16세가 된다.)

It rained hard that day.
(그날 비가 무척 왔다.)

③ 이미 말한 구 • 절을 받는 this, that

He was not there; this is clear.
(그는 거기에 없었어. 이 사실은 명백해.)

To be or not be; that is the question. <Hamlet 중에서>
(죽느냐 사느냐 그것이 문제로다.)

④ 명사의 반복을 피하기 위한 that, those

The air of hills is cooler then that (=the air) of plains.
(산 공기가 평지의 공기보다 더 신선하다.)

Her manners are not those (=the manners) of a lady.
(그녀의 몸가짐은 숙녀로서의 몸가짐이 못된다.)

⑤ 전자, 후자를 가리키는 that, this

that=「전자」=the former, this=「후자」=the latter

Work and play are both necessary to health; this gives us rest, and that gives us energy.
(일과 노는 것은 건강에 둘 다 필요하다.)
<후자 [노는 것]은 우리에게 휴식을 주고, 전자 [일하는 것]은 우리에게 활력을 준다.>

03 부정대명사

1. some, any

some은 평서문에, any는 의문문, 부정문, 조건문에 쓰인다.

평서문: Give me some water to drink.
(마실 물 좀 주십시오.)

의문문: Is there any water to drink?
(마실 물 좀 있습니까?)

부정문: I don't want any water.
(물을 마시고 싶지 않다.)

조건문: If you want any water, I will give you some.
(물을 드시겠다면, 좀 드리겠습니다.)

① some의 용법

가) 단수명사 앞에 올 때 - 셀 수 있는 명사 앞에서는 막연히 「어떤 사람(것)」, 셀 수 없는 명사 앞에서는 「약간, 다소」의 뜻.

I have read it in some book.
(나는 그것을 어떤 책에서 읽었다.)

I want some money. (돈이 좀 필요하다.)

나) 복수명사 앞에 올 때 - stress가 있으면 「꽤 많은」, 없으면 막연한 수를 나타냄.

I want some pencils. (연필이 좀 필요하다.)

② any의 용법

가) any 는 some과 뜻이 같고, 용법도 같다.

다만 부정 • 의문 • 조건문에서 쓰인다.

나) 긍정문에 any가 오면 「어느…라도」의 뜻이 돈다.

Any child can do that.

(어느 아이라도 그것을 할 수 있다.)

2. one, other, another

one은 수사 one 「하나」에서 유래한 것으로 사람을 나타낼 때와 명사를 대신할 때가 있다. other, another 은 다른 대명사와 상관적으로 쓰이는 경우가 많다.

other 「딴 것, 딴 사람」, another는 <an+other>로 「또 하나의 것 [사람] 」의 뜻.

① one의 용법

가) <a • an+단수명사>를 대신할 때

I want a car. But I have no money to buy one.

(나는 차를 갖고 싶다. 그러나 살 돈이 없다.) <one=a car>

나) 일반 사람을 가리킬 때

One should take care of oneself.

(사람은 누구나 자신을 소중히 여겨야 한다.)

One must do one's best in everything.

(사람은 모든 일에 있어서 자기의 최선을 다 해야 한다.)

② other(s) 용법

가) one~the other: 두 개 중에서 하나를 one이라면, 나머지 하나는 the other가 된다.

I have two children. One is a boy and the other is a girl. (나에게는 아이가 둘 있는데, 하나는 남자아이이고, 또 한 아이는 여자아이이다.)

나) the other: 여럿 중에 빼고 난 나머지 것[사람]

I have seven children. Four of them are boys and the others are girls. (나에게는 아이가 일곱이 있는데, 그 중 4명은 남자아이이고 나머지는 여자아이이다.)

③ another의 용법

가) 「하나 더=one more」의 뜻

Give me another cup of tea. (차 한 잔 더 주시오.)

나) 「딴, 별개의 것」 : one~another 로

To know is one thing, and to teach is another.
(안다는 것과 가르친다는 것은 별개의 것이다.)

다) 관용어구

each other : 서로 <둘 사이>
one another : 서로 <셋 이상 사이>

3. all, every, each, both, either, neither

all은 「모두」의 뜻으로, 단수 • 복수가 가능하며, 대명사, 형용사, 부사 구실을 한다. each, every는 언제나 단수 취급되며, each는 「각자, 각기」, every는 「모든」의 뜻이다. both는 「둘 다」의 뜻, either는 「둘 중 어느 하나」의 뜻으로, 각각 대명사 • 형용사 • 부사 구실을 한다. neither는 either의 부정, 즉 「양쪽 부정」을 나타내는 말이다.

① all의 용법

가) 대명사 : All (=Everything) is over. (만사는 끝났다.)
<단수취급>

All (=All the people) were silent.
(모두 조용히 했다.)
<복수취급>

나) 형용사 : All the money was stolen.
(그 돈 전부를 도둑맞았다.)

다) 부사 : It was all covered with mud.
(그것은 온통 흙투성이였다.)

② every, each 용법

가) every는 개개를 염두에 두고 「모두」라고 전체를 가리키고, each는 「각각, 하나하나」라고 개별적으로 가리킨다.

나) 단수 취급한다. *every는 형용사뿐이다.

Every boy of our class was there and each did his part. (우리 학급의 소년들은 모두 거기에 있었다. 그리고 각자가 자기의 본분을 다했다.)

③ both 용법

가) 대명사 : Take both of them. (둘 다 가져라.)

나) 형용사 : I have read both there books.
(이 책 두 권을 다 읽었다.)

다) 부 사 : This book is both good and cheap
(이 책은 좋기도 하고 싸기도 하다.)

④ either 용법

가) 대명사 : You may take either of the two books.
(너는 책 두 권 중에 어느 하나를 가져도 좋다.)

나) 형용사 : They stood on either side of the gate.
(그들은 문 양쪽에 서 있었다.)

다) 부　사 : There is no tome to lose, either.
(또한[역시] 시간 여유조차 없다.)

⑤ neither = not…either

I have not read either book.
= I have read neither book.
(나는 어느 쪽도 읽지를 않았다.)

04 의문대명사

1. Who, what, which

의문대명사는 일반적으로 문장 첫머리에 놓여진다. 「누구」라고 사람에 대해서 물을 때는 who, 「무엇」이냐고 사물에 대해서 물을 때는 what을 쓴다. which는 「어느 것」이냐고 일정한 수 중에서 가려 물을 때 쓰이므로 사람 • 사물에 다 해당된다.

① who, what, which의 용법

가) 사람에 대해서 물을 때

Who is he? He is Mr. Brown. <이름을 물을 때>
(그분이 누구지요? 그분은 브라운 씨입니다.)

Who is this boy? He is my brother. <친족 관계를 물을 때>

(이 소년은 누구입니까? 그는 나의 동생입니다.)

What is he? He is an engineer. <직업 • 신분을 물을 때>
(그의 직업은 무엇이지? 그는 기사야.)

Which of you can drive a car?
(너희들 중의 누가 운전할 줄을 아니?)

Who (=whom) did you see yesterday?
(너는 어제 누구를 만났니?)

Who (=whom) are you waiting for?
(너는 누구를 기다리고 있니?)

나) 사물에 대해서 물을 때

What are you looking at? (너는 무엇을 보고 있니?)

Which do you like best, apple, oranges or grapes?
(사과, 오렌지, 포도 중에서 어느 것을 가장 좋아하니?)

What has happened? <주어(What)+동사?>
(무슨 일이 생겼니?)

2. 간접의문문

의문사가 이끄는 절이 다른 문장에 포함되어 간접적인 의문 형식이 되는 것을 말한다. 이때 의문사절은 주절에 대한 종속절이 되며, 주절에 있는 동사의 목적어가 된다.

① 어순 : <의문사+주어+동사>로 평서문이 된다.

가) Do you know? (너는 알고 있니?)
+ What does she want? (그녀는 무엇을 원하니?)
Do you know what she wants?
<know의 목적어> (평서문)
(그녀가 무엇을 원하는지 너는 아니?)

나) please tell me. (그가 누구인지 말해주시오.)
<직접의문문> Who is he?
<간접의문문> Who he is.

다) 의문사가 주어일 때
I don't know who broke the window.
(나는 누가 그 창문을 깨뜨렸는지 모른다.)

<직접의문문> Who broke the window?
<간접의문문> Who broke the window.
(주어) (동사) (목적어)

② do you know….? 와 do you think…? 의 경우 의문사의 위치

가) 주절의 동사가 know, tell, ask, hear 등이면 의문사는 동사 다음에 온다.

Do you know who invented the radio?
(너는 누가 라디오를 발명했는지 아니?)

Can you tell me what he is doing?
(그가 무슨 일을 하고 있는지 말해 줄 수 있니?)

나) 주절의 동사가 think, guess, suppose, believe, imagine 등이 오면 의문사는 의문문 앞에 온다.

Who do you think has broken the window?
(누가 창문을 깨뜨렸다고 생각하느냐?)

What do you guess he is doing now?
(그가 지금 무엇을 하고 있을 것 같으냐?)

Which do you suppose is more beautiful, this bird or that one? (이 새 둘 중 어느 것이 더 아름답다고 생각하니?)

UNIT 4 형용사 (Adjectives)

01 형용사의 종류

1. 성질형용사

사물의 성질이나 상태를 나타내는 형용사를 성질형용사라고 한다. 대부분의 형용사가 이에 속한다.

① 원래부터 형용사인 것

a big fish (큰 고기) a good boy (착한 소년)
young ladies (젊은 여성) a rich man (부자)
cold water (냉수) hot water (온수)

② 명사에 어미 (-ly, -y, -ish, -like, -ous, -less 따위)를 붙여 형용사가 된 것

man - manly (남자다운) rain - rainy (비가 오는, 비의)
fool - foolish (어리석은) fame - famous (유명한)
use - useless (소용없는)

③ 물질명사가 그대로 형용사가 된 것, 또는 어미 -en을 붙여서 된 것

a silver spoon (은 스푼) <물질명사 그대로>
a gold watch (금시계) <물질명사 그대로>

a diamond ring (다이아몬드 반지) <물질명사 그대로>
a wooden bridge (나무다리) <+ -en>
a woolen shirt (울 셔츠, 모직셔츠) <+ -en>

④ 고유명사에서 된 것 <고유형용사>

an Oxford student (옥스퍼드 대학의 학생)
a Hollywood star (할리우드 스타)
the Italian Embassy (이탈리안 대사관)
Chinese dishes (중국 요리)

⑤ 현재분사 • 과거분사에서 온 것

현재분사에서 온 것은 능동, 과거분사에서 온 것은 수동의 뜻을 가짐.

가) 현재분사에서 : the rising sun (떠오르는 태양)
a running horse (달리는 말)

나) 과거분사에서 : a stolen camera (도난당한 카메라)
lost time (잃어버린 시간)

2. 수량형용사

수 • 양 • 정도 따위를 나타내는 형용사를 수량형용사라고 한다. 수량형용사에는 막연한 수량을 나타내는 부정수사와 하나, 둘 중과 같이 일정한 수를 나타내는 수사가 있다. 부정수사에는 many, much, few, little 따위가 있다.

① many, much의 용법

가) many, much는 둘 다 「많은」의 뜻으로, many는 셀 수 있

는 명사 앞에서 「많은 수」를, much는 셀 수 없는 명사 앞에서 「많은 양」을 나타낸다.

Many people think so.
(많은 사람들이 그렇게 생각하고 있다.) <수>

You may take as many apples as you like
(네가 좋아하는 것만큼 사과를 가져가거라) <수>

I have given you so much trouble.
(당신에게 폐를 너무 많이 끼쳐드렸습니다.) <양>

나) 긍정문에서는 many, much 대신 a lot of를 쓴다.

many
- I have a lot of books.··················<긍정문>
- I don't have many books.············<부정문>
- Do you have many books.············<의문문>

much
- I have a lot of money.··················<긍정문>
- I don't have much money.············<부정문>
- Do you have much money.············<의문문>

② few, little 의 용법

가) few는 셀 수 있는 명사 [복수명사] 앞에서 「수가 적음」을, little은 셀 수 없는 명사 [물질명사 • 추상명사]앞에서 「양이 적음」을 나타낸다.

나) a few 「(수가) 조금 있다」, a little 「(양이) 조금 있다」, few 「(수가) 거의 없다.」, little 「(양이) 거의 없다.」

She has a few books and a little time.
(그녀는 책 2, 3권을 가지고 있으며 읽을 시간도 좀 있다.)

He has little time for reading.
(그는 읽을 시간이 거의 없다.)

02 형용사의 용법과 위치

1. 한정용법과 서술용법

서술용법으로 쓰이는 형용사는 문장에서 보어 역할을 한다. 또 항상 서술용법으로만 쓰이는 형용사와 한정용법으로만 쓰이는 형용사가 있다.

① 문장의 보어가 되는 서술용법의 형용사

가) 주격보어 : They are tall. (그들은 키가 크다.)
The girl looked happy. (그 소녀는 행복하게 보였다.)

나) 목적격보어 : We think him honest.
=We think that he is honest.
(우리는 그가 정직하다고 생각한다.)

He found the dog asleep.
=He found that the dog was asleep.
(그는 개가 잠들어 있는 것을 알았다.)

② 한정용법으로 쓰이는 형용사 : mere, very, only, utter, elder, latter, inner, outer, total 따위.

He is a mere child. (그는 아직 어린 아이에 지나지 않다.)
It was an utter failure. (그것은 완전한 실패였다.)
Tom is my elder brother. (탐은 나의 형이다.)

③ 서술용법으로만 쓰이는 형용사 : afraid, asleep, alive, awake, contest, ignorant, glad, well, sorry 따위.

I am glad to hear the news. (그 소식을 들어 기쁘다.)
The girl soon fell asleep. (그 소녀는 곧 잠이 들었다.)
Her parents are still alive. (그녀의 양친은 아직 생존해 계시다.)

④ 한정용법과 서술용법이 뜻을 달리하는 형용사 : present, late, ill, certain

the present Premier (현 수상)
Everybody was present. (모두가 출석했다.)

the late Mr. smith (고(故) 스미스 씨)
I was late for school. (나는 학교에 지각했다.)

ill news (나쁜 소식)
He is ill in bad. (그는 앓아누워 있다.)

a certain Englishman (어떤 영국인)
It is certain that he will come. (그가 오는 것은 확실하다)

2. 형용사의 위치

형용사는 명사 앞에 놓이는 것이 보통이지만 형용사가 여러 개 올 때는 일정한 순위가 있고, 또 명사에 따라 형용사의 위치가 달라진다.

① 한정형용사의 위치

가) 명사 앞에 2개 이상 수식어가 올 때의 순서

관사 · 대명형용사 (대명사 소유격)	수량 형용사	성 질 형용사	명 사	뜻
my		old	father	나의 늙으신 아버지
these	two	white	roses	이 두 개의 백장미
the	three	long	rivers	그 세 개의 긴 강

나) 성질 형용사가 여러 개 올 때의 순서

모습 + 성질 · 색 + new, old + 재료 · 국적 + (명사)

↓ ↓ ↓

a handsome kind young man (잘 생긴 친절한 젊은이)

a pretty French girl (예쁜 프랑스 소녀)

다) all, both, half 따위는 맨 앞에 놓인다.

All the soldiers were brave. (병사들은 모두 용감했다.)

② 형용사가 명사 뒤에 올 때

가) 형용사가 어군을 수반할 경우

Here are some books easy to read.
(여기에 읽기 쉬운 책들이 몇 권 있다.)

a lake famous for its beauty
(아름다운 경치로 유명한 호수)

나) 2개 이상 형용사가 대구 적으로 연속될 경우

There was a man poor but happy.
(가난했지만 행복했던 한 사나이가 있었다.)

All men, white or black, are equal.
(백인이건 흑인이건 인간은 모두 평등하다.)

다) -thing 으로 끝나는 부정대명사를 수식할 경우

UNIT 5 비교 (Comparison)

01 비교급 · 최상급 만드는 법

비교급 · 최상급 만드는 법에는 크게 나누어 3종류가 있다. 원급의 낱말 끝에 -er, -est를 붙이는 것, 원급 앞에 more, most를 놓는 것, 불규칙적으로 변화하는 것.

① 원급에 -er, -est를 붙이는 것

가) long (긴)	longer	longest
fast (빠른)	faster	fastest
나) happy (행복한)	happier	happiest
early (이른)	earlier	earliest
다) big (큰)	bigger	biggest
hot (뜨거운)	hotter	hottest
라) large (넓은)	larger	largest
fine (좋은)	finer	finest

② 원급 앞에 more, most를 놓는 것

비교급 = more + 원급
최상급 = most + 원급

가) useful (유용한) more useful most useful
expensive (비싼) more expensive most expensive
slowly (천천히) more slowly most slowly

나) beautiful (아름다운) more beautiful most beautiful
difficult (어려운) more difficult most difficult

2. 원급의 요급

원급을 가지고 비교를 나타내는 경우는, as 또는 so와 함께 써서 A, B 양편이 수나 정도가 같다는 동등비교를 나타낼 때이다.

① A is as ~ as B (A는 B와 똑같이 ~하다.)

Mary is as beautiful as Jane.
(메리는 제인과 똑같이 아름답다. -제인처럼 아름답다.)

Tom can run as fast as Jack.
(탐은 잭처럼 빨리 달릴 수 있다.)

② A is not so (=as) ~ as B (A는 B만큼 ~하지 않다.)

Mary is not as beautiful as Jane.
(메리는 제인만큼 아름답지가 않다.)

Tom cannot run so fast as Jack.
(탐은 잭만큼 빨리 달리지 못한다.)

③ 배수를 나타낼 경우에

A is twice as large as B. (A는 B보다 2배 크다.)
A is three times as large as B. (A는 B보다 3배 크다.)
A is four times as large as B. (A는 B보다 4배 크다.)

④ 관용어법

가) as ~ as possible, as ~ as … can (할 수 있는 한)

He ran away as fast as possible.
(그는 될 수 있는 한 빨리 달아났다.)

The weather was as fine as it could be.
(날씨는 더 할 나위 없이 좋았다.)

나) as ~ as any …, as ~ as ever … (…에 못지않게~)

Tom is as diligent a boy as any in his class.
(…에 못지않게 ~)

He is as great a statesman as ever lived.
(그는 살았던 사람 중에서 누구 못지않게 위대한 정치가이다.)

다) 부정어 … + so ~ as A (어떠한 …도 A만큼 ~하지 않다)

Nothing is so important as health.
(건강만큼 중요한 것은 없다.)
= Health is the most important thing.

라) not so much A as B (A 보다는 오히려 B이다.)

He is not so much a school as a writer.
(그는 학자라기 하기 보다는 오히려 작가이다.)

3. 비교급의 용법

비교급은 A와 B를 비교해서 「A가 B보다 크다, 많다, 좋다.」 따위의 정도가 강하다는 우세비교를 나타낸다. 비교급은 「…보다」의 뜻인 접속사 than을 수반하는 경우가 많다.

① 비교급 + than (…보다 ~)

Tom is taller than Jack.
(탐은 잭보다 키가 더 크다.)

Jane are more beautiful than Mary.
(제인은 메리보다 더 예쁘다.)

② 라틴계 비교급(~or) + to : 라틴 계통에서 온 말은 낱말 끝이 -or로 끝나며, 라틴계의 비교급은 than 대신 to를 쓴다.

This is far superior to that.
= This is much better than that.
(이것이 저것보다 더 좋다.)

I am three years senior to him.
(나는 그보다 3살 더 많다.)

③ 열세비교 less + 원급 + than (…보다 못한, …보다 작은)

He is less tall than I. = He is shorter than I.
(그는 나보다 키가 작다.)

She is less beautiful than her sister.
(그녀는 그녀의 언니보다 예쁘지 않다.)

④ more B than A (A라기보다는 오히려 B이다.)

형용사의 음절에는 관계없이, 서로 다른 성질 · 상태를 비교할 때 쓰는 표현으로 rather ~ than의 뜻을 가진다.

He is more wise than honest.
(그는 정직하다기 보다는 현명하다.)

4. 최상갑의 용법

최상급은 셋 이상의 것 중에서 수 · 양 · 정도가 「가장 크거나 많은 것」을 나타낸다. 최상급 앞에서 the를 붙이는 것이 원칙이다.

① the + 최상급 + of [또는 in] (…중에서 가장…한)

She is the youngest girl of the three.
(그녀는 셋 중에서 나이가 가장 어린 소녀이다.)

Tom is the most intelligent boy in the class.
(탐은 학급에서 가장 총명한 소년이다.)

② 최상급에는 간혹 even의 뜻을 첨가하여 번역한다.

The smallest (=Even the smallest) child knows such a simple thing.
(아무리 작은 어린애라도 그런 간단한 것쯤은 알고 있다.)

The cleverest man sometimes makes a mistake.
(아무리 머리가 좋은 사람이라도 가끔 실수를 한다.)

③ 최상급에 the를 붙이지 않은 경우

가) 부사의 최상급일 때

Betty gets up earliest in the family.
(베티는 가족 중에서 제일 일찍 일어난다.)

Tom drives most carefully of us all.
(탐은 우리들 중에서 가장 조심성 있게 운전을 한다.)

나) 최상급의 형용사가 단독으로 보어가 되는 경우

This lake is deepest here. (이 호수는 이곳이 가장 깊다.)

A rose is most beautiful in the morning.
(장미는 아침에 가장 아름답다.)

다) 기타의 관용적 표현

at best [=most] (기껏해야) at least (적어도)
at worst (아무리 나빠도) at latest (아무리 늦어도)

5. 비교급의 특수구문

「the+비교급, the+비교급」과 같이 비교급이 관용적으로 쓰여서 특수구문을 형성한다.

① 비교급+and+비교급 (점점~하다)

The days are getting shorter and shorter.
(해는 점점 짧아져 가고 있다.)

She become more and more beautiful.
(그녀는 점점 예뻐지고 있다.)

② the+비교급, the+비교급 (~하면 할 수로 더욱 …하다.)

The higher we climbed, the cooler it become.
(높이 올라가면 갈수록 더 시원했다.)

The more I looked at her, the more beautiful she looked.
(그녀는 쳐다보면 볼수록 더욱 더 예뻐 보인다.)

③ no+비교급+than

가) no more than = only (겨우…만)

He has no more than forty books.
= He has only forty books. (그는 겨우 40권 밖에 없다.)

He has not more than fifty books.
= He has at most fifty books.
(그가 가지고 있는 책은 많아야 50권 정도이다.)

나) no less than = as many (또는 much) as (~만큼이나)

He has no less than 500 books.
= He has as many at 5000 books.
(그는 책을 500권이나 가지고 있다.)

④ A is no more B than C is. (C가 B가 아닌 것과 같이 A도 B가 아니다.)

A whale is no more a fish than a horse is.
(말이 물고기가 아닌 것과 같이 골도 물고기가 아니다.)

He is no more a poet than I am.
(내가 시인이 아닌 것처럼 그도 시인이 아니다.)

6. 최상급을 나타내는 여러 가지 방법

최상급의 뜻은 꼭 최상급을 써서 나타내는 방법뿐만 아니라, 비교급 또는 원급을 써서 나타낼 수도 있다.

① 최상급의 뜻을 나타내는 여러 가지 문형

가) the+최상급	(가장 ~)
나) 비교급+than+any+other…	(다른 어떤 …보다~)
다) 부정어+so+원급+as…	(…만큼 ~인 것은 없다)
라) 부정어+비교급+than…	(…보다 ~인 것은 없다)

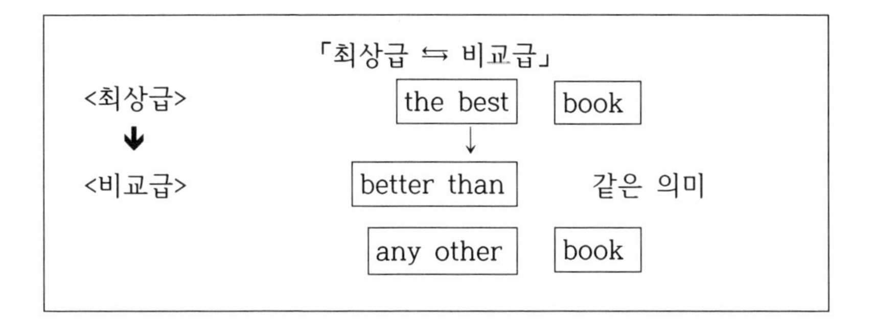

「최상급 ⇆ 비교급」
<최상급>
the best
book
<비교급>
better than
같은 의미
any other
book

A. 「서울은 한국에서 가장 큰 도시이다.」

가) Seoul is the largest city in Korea.

나) Seoul is larger than any other city in Korea.

다) No other city in Korea is so large as Seoul.

라) No other city in Korea is larger than Seoul.

B. 「건강은 무엇보다도 가장 중요하다.」

가) Health is the most important of all.

나) Health is more important than anything else.

다) Nothing is so important as health.

라) Nothing is more important than health.

② as ~ as any (…에 못지않게 ~)의 형으로 최상급의 뜻을 나타낼 수 있다.

She is as clever as any other girl.
(그녀는 다른 어떤 소녀보다도 머리가 좋다.)

He was as brave as any man in the world.
(그는 이 세상 누구보다도 용감했다.)

He is as great a scientist as ever lived in America.
(그는 미국에서 살았던 사람 중에서 누구 못지않게 위대한 과학자이다.)

UNIT 6 부사 (Adverbs)

01 부사의 어형과 종류

1. 부사의 어형

부사는 주로 상태·방법을 나타내는 것에는 그 어형이 <형용사+ly>로 된 것이 많다.

① <형용사+ly>로 된 부사

<형용사> <부사>

가) quick → quickly (빠르게)
sudden → suddenly (갑자기)

나) easy → easily (쉽게)
happy → happily (행복하게)

다) able → ably (가능하게)
gentle → gently (점잖게)

② 형태가 같은 형용사와 부사

My father is an early riser. <형용사>
(우리 아버지는 아침 일찍 일어나시는 분이다.)

My father gets up early. <부사>
(우리 아버지는 일찍 일어나신다.)

This is a monthly magazine. (이것은 월간 잡지이다.)

This magazine is published monthly,
(이 잡지는 달마다 발간된다.)

③ 뜻이 다른 이중형의 부사

가) 뜻이 같은 것 : come quick (=quickly) (빨리 와라.)

나) 뜻이 다른 것 :

I usually go to bed late. (나는 늘 늦게 잔다.)

I have not heard from him lately.
(최근에는 그의 소식을 못 들었다.)

④ 다른 품사에서 온 부사

가) 명사 → 부사

He will come home soon. (그는 곧 귀가할 것이다.)
Do it (in) this way. (이대로 해라.)

나) 전치사 → 부사

Put your hat on. (모자를 쓰시오.)

다) 대명사 → 부사

This tree never grows any larger.
(이 나무는 더 이상 크지 않는다.)

2. 시제의 부사

동사를 수식하는 부사로, 동사의 시제와 밀접한 관계가 있는 부사를 말한다.

① ago, before, since

ago : 현재를 기준으로 하여 (과거시제와 함께) 「지금부터~전」

before : 과거의 어느 때를 기준으로 하여 (과거완료와 함께) 「그때보다 …이전」

since : ago나 before를 대신한다.

He died a year ago. (그는 1년 전에 죽었다.)

He went out a few minutes ago (or since).
(그는 조금 전에 외출했다.)

I could not see him. He had gone out a few minutes before (or since).
(나는 그를 만나지 못했다. 그는 좀 전에 외출하고 없었다.)

② ever, once

가) ever : 긍정문에는 「그 후 쭉, 항상」, 의문·조건·부정문에는 「지금까지」의 뜻.

They lived happily ever after.
(그들은 그 후 쭉 행복하게 살았다.)

Have you ever ridden a horse?
(너는 말을 타 본 적이 있니?)

나) once : 긍정문에서 「한 번」

부정문에도 once 또는 never를 쓴다.

I once read about the article.
(나는 전에 한 번 그 기사를 읽어 보았다.)

I have not seen him once.
(나는 그를 한 번도 만난 적이 없다.)

I have never been to the United States.
(나는 미국에 전혀 가 본 적이 없다.)

③ already, yet, still

가) 「이미(벌써)」의 뜻으로 already는 긍정문에, yet은 부정문·의문문에 쓰임.

We had already eaten when he arrived.
(그가 도착했을 때 이미 우리는 식사가 끝나 있었다.)

Has the bell rung yet? (벌써 종이 울렸니?)

나) still은 「아직」의 뜻으로 계속을 나타냄: 부정문에서는 yet

My sister is still ill. (누나는 아직 앓고 있다.)

The work is not yet finished.
(그 일은 아직 끝나지 않았다.)

④ just, now, just now

just와 now는 「바로, 방금」의 뜻으로 현재, 현재완료에 쓰이고, just now는 「바로 조금 전에」의 듯으로 현재완료에는 쓸 수 없다.

We have just finished it. (이제 막 그것을 끝냈다.)
I finished my breakfast just now. (방금 아침 식사가 끝났다.)

3. 장소·정도의 부사

장소의 부사는 동사를 수식하고, 정도의 부사는 동사·형용사·부사를 수식한다.

① **here, there**

가) 장소의 부사 here 는 「이곳」, thar 는 「저곳」을 뜻한다.

Small houses could be seen here and there.
(이곳저곳에 조그마한 집들이 보였다 [있었다].)

나) <There+V+S> 의 형식에서 there는 존재를 나타내는 형식상 부사이다.

There is a book on the desk.
(책상 위에 책이 한 권 있다.)

② **very, much**

가) 정도의 부사 very 는 형용사, 부사만을 수식 할 수 있다. 동사를 수식할 때는 very much를 쓴다.

He is very clever. (그는 꽤 영리하다.)
I like him very much. (나는 그를 무척 좋아한다.)

나) very 는 형용사 · 부사의 원급을, much는 비교급 · 최상급을 수식한다.

He is very diligent. (그는 아주 부지런하다.)

He is much more diligent than his brother.
(그는 그의 형보다 훨씬 더 부지런하다.)

He is much the most diligent of them all.
(그는 그들 전체에서 특출나게 [제일] 부지런하다.)

다) very는 현재분사를, much는 과거분사를 수식한다.

This is a very interesting book.
(이것은 아주 흥미 있는 책이다.)

I was much interested in this book.
(나는 이 책에서 무척 흥미를 느꼈다.)

③ so, too

가) so, too는 정도의 부사이다. so는 구어에서 very와 같은 뜻으로 very 대신 쓰인다. too 는 「너무, 지나치게」의 뜻.

나) so는 that와 함께, too는 to 와 함께 숙어로 쓰인다.
This book is so difficult that I cannot read it.
(이 책은 너무 어려워서 읽을 수가 없다.)
= This book is too difficult for me to read.

④ hardly, scarcely, seldom, rarely

4개가 다 부정어로 hardly, scarcely는 「거의 …않다」의 뜻, seldom rarely는 「좀처럼 …하지 않다」의 뜻으로 often의 반대

4. No, Yes의 용법

의문문이 긍정이건 부정이건 관계없이, 대답하는 자신의 내용이 긍정이면 Yes, 부정이면 No를 쓴다. 우리말의 「예, 아니오.」와 좀 다르다.

① Yes, No

Did you go to school yesterday? <긍정 의문>
(어제 학교에 갔었니?)

Yes, I did (응, 갔었어.) <긍정>
No, I didn't. (아니, 안 갔어.) <부정>

Didn't you go to school yesterday? <부정 의문>
(너는 어제 학교에 가지 않았니?)

Yes, I did. (아니, 갔었어.)
No, I didn't (응, 안 갔어.)

② no, not

가) not는 조동사로 be동사 다음에, 또는 부정사, 분사, 동명사의 앞에 위치한다.

I cannot swim. (나는 수영할 줄 모른다.)
He pretended not to know. (그는 모르는 척했다.)

5. 의문부사

의문부사에서 when, where, how, why 따위로 시간과 장소, 방법과 이유 등을 묻는 데 쓰인다.

① when, where

가) when은 「언제~?」라고 때를 물을 때, where는 「어디에(서)~?」라고 장소를 물을 때 쓰인다.

When is he coming back? (그는 언제 돌아오니?)
He is coming back tomorrow. (내일 돌아올 거야.)
Where did you see him? (그를 어디서 만났니?)
I saw him in his office. (그의 사무실에서 만났어.)

나) when, where가 동사의 목적어, 또는 전치사의 목적어가 되어 명사처럼 쓰이는 경우가 있다.

Tell me when and where. <동사의 목적어>
(시간과 장소를 알려다오.)

Till when can you stay? <전치사의 목적어>
(언제까지 체류할 수 있니?)

Where do you come from? <전치사의 목적어>
(고향이 어디십니까?)

② how, why

가) how「어떻게, 어떤 방법으로」의 뜻으로 방법을 물을 때 쓰인다.

How did you go there?
(거기는 어떻게 갔었니? [걸어서, 또는 무엇을 타고])

I went there by bus. (버스를 타고 갔었다.)

나) how는 형용사, 부사와 함께 「얼마만큼, 어느 정도」의 뜻으로 정도를 물을 때 쓰인다.

How old are you? (너 몇 살이니?)

How long did you stay there?
(그 곳에 얼마 동안 머물었니?)

How many books do you have?
(너는 책이 몇 권이나 있니?)

다) why는 「왜」라고 이유를 묻는다.

Why was he absent yesterday ?
(그는 왜 어제 결석했니?)

He was absent because he was sick.
(그는 아팠기 때문에 결석했다.)

라) why는 what…for로 바꿔 쓸 수 있다.

Why did you go there? (왜 거기에 갔었니?)
= What did you go there for? (무엇하러 거기에 갔었니?)

02 부사의 위치와 용법

1. 부사의 위치 (I)

부사는 주로 동사 · 형용사 · 부사를 수식한다. 그러나 명사, 대명사 또는 문장 전체를 수식할 경우가 있다.

① 동사를 수식하는 부사

He came home safely yesterday.
(그는 어제 무사히 귀가했다.)

Mr. Brown teaches us English earnestly.
(브라운씨는 우리들에게 열심히 영어를 가르쳐 준다.)

We have always bought the best tea.
(우리는 항상 질이 가장 좋은 홍차를 샀다.)

② 형용사, 부사(구 · 절)를 수식하는 부사

He is much wiser than you. <형용사 비교급>
(그는 너보다 훨씬 현명하다.)

A race horse can run very fast. <부사>
(경주 말은 아주 빨리 달린다.)

He left shortly after I arrived. <부사절>
(그는 내가 도착한 뒤 곧 [도착하자마자] 떠났다.)

2. 부사의 위치

문장 전체를 수식할 때에는 문장 맨 앞에 오는 것이 보통이다.

① 문장 전체를 수식하는 부사

Certainly he will come.

He will certainly come.

He will come, certainly.

= It is certain that he will come.

② 부사의 위치에 따라 뜻이 달라지는 경우

가) Happily he did not die. (다행히 그는 죽지 않았다.)

나) He did not die happily. (그는 행복하게 죽지 못했다.)

다) He naturally speaks English. <문장 전체 수식>

= It is natural that he should speak English.

(물론 그는 영어로 말한다. - 영어로 말하는 게 당연하다.)

라) He speaks English naturally.

= He speaks English in natural way.

(그는 막힘없이 술술 영어로 말한다.)

③ 다른 품사로 전용된 부사

Winter is over and spring has come. <형용사로>
(겨울이 가고 봄이 왔다.)

How far is it from here to Busan? <명사로>
(여기서 부산까지 거리가 얼마나 걸리지?)

What time does the next down train arrive? <형용사로>
(다음 하행 열차가 몇 시에 도착하지?)

④ 명사 · 대명사를 수식하는 부사

He is only a child. (그는 아직 어린애이다.)

Is there anything else to do?
(그것 이외에 할 일이 있습니까?)

Even a child can do it. (어린애라도 그것을 할 수 있다.)

He is quite a gentleman. (그는 훌륭한 신사이다.)

UNIT 7 접속사 (Conjunction)

01 등위접속사

접속사는, 그 하나만으로는 별 의미를 갖지는 않지만. 단어, 구, 절 등을 연결해주는 역할을 하는 품사이다.

1. and, but

접속사 and는 「~과」「~그리고~」「~하고」 등 의 뜻으로 순서적으로 일어나는 일, 열거 등을 나타낼 때 쓴다.

① and의 용법

가) 순서적으로 일어나는 일, 여러 가지 사항을 나열할 때

He came home and watched TV.
(그는 집에 와서 TV를 보았다.)

Jack and Betty went to the library.
(잭과 베티는 도서관에 갔다.)

나) 「명령문 + and」 : [~하라, 그러면~]의 뜻으로 조건과 귀결의 관계를 나타낸다.

Work hard, and you will succeed.
(= If you woke hard, you will succeed.)
(열심히 일하라, 그러면 성공할 것이다.)

② but 의 용법

가) 「그러나」의 뜻으로 반대되는 일, 또는 대조를 나타낸다.

Winter came, but it was warm.
(겨울이 왔으나, 따뜻했다.)

나) 「not A to B」: 「A가 아니라 B이다.」

He is not a musician, but a sportsman.
(그는 음악가가 아니라, 운동선수이다.)

2. or, for 와 상관접속사

or는 선택을 for는 판단의 이유를 나타내며, 등위절을 이끄는 상관접속사에는 not only~ but also, as well as, either~or~ 등이 있다.

① or의 용법

가) 선택을 나타냄

You or Tom must go there.
(너나 탐 중에 하나가 거기에 가야만 한다.)

나) 명령문+or : 「~하라, 그렇지 않으면~」의 뜻

Hurry up, or you will be late.
(서둘러라, 그렇지 않으면 너는 지각할 것이다.)

다) 「다시 말하면」의 뜻으로 앞에 한 말을 다시 설명할 때

I weigh 132 pounds or about 60 kilograms.
(나는 몸무게가 132파운드, 다시 말해서 약 60킬로그램이다.)

② for의 용법

for는 앞에 나온 말에 대한 이유를 보충 설명할 때 쓰며, 문장 앞에 오지는 못한다.

It is morning, for the birds are singing.
(아침인가 보다, 새들이 노래하고 있는 것을 보니.)

③ 상관 접속사

가) both A and B : 「A, B둘 다」의 뜻이고 동사는 항상 복수이다.

Both he and his friend are sick.
(그와 그의 친구는 둘 다 아프다.)

나) not only A but also B / B as well as A } A는 물론 B

He can speak not only English but also French.
= He can speak French as well as English.
(그는 영어는 물론 불어도 할 줄 안다.)

02 종속접속사

1. 명사절을 이끄는 접속사

명사절을 이끄는 접속사는 한 문장을 다른 문장의 주어 · 목적어 · 보어 · 동격절로서 연결시킨다.

① that

that은 평서문을 명사절로 바꾼다.

I know + He is honest
‖ ⇩ ‖
I know that he is honest.
(나는 그가 정직하다는 것을 안다.)

② 의문사 (who, what, when, where… 등)

의문사는 의문사가 있는 의문문을 명사절로 바꾼다.

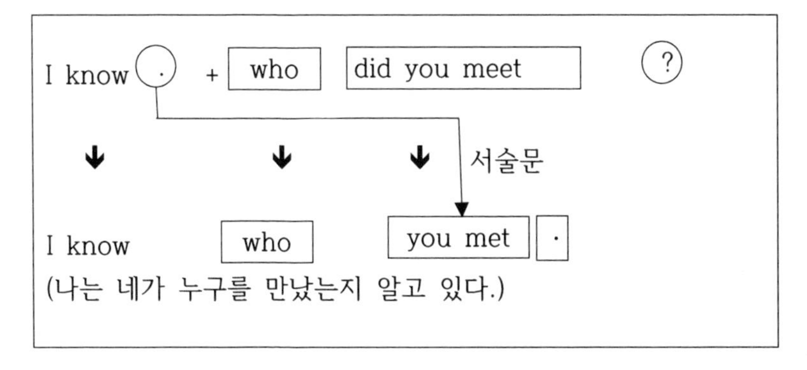

③ if, whether

if, whether는 「~인지 아닌지」의 뜻으로 의문사가 없는 의문문을 명사절로 바꾼다.

I don't know . + Did he meet her ?

↓ ↓ 서술문

I don't know if he met her .

2. 부사절을 이끄는 접속사 (I)

부사절을 이끄는 접속사 중 when, while, as, till, as long as, after, before 등의 때를 나타낸다.

① 때를 나타내는 접속사

가) when

when은 「~ 할 때」의 뜻으로 쓰인다.

When you speak, speak clearly.
(말을 할 때는 명확하게 말을 해라.)

나) as : as는 「~하면서」의 뜻으로 동시에 일어난 일을 나타낸다.

He trembled as he spoke.
(그는 말을 하면서, 몸을 떨었다.)

다) while : while은 「~하는 동안」의 뜻으로 when 보다 장기간 계속 된 일임을 나타낸다.

I took care of the baby while Mother was out.
(어머니가 외출하신 동안에 내가 그 아기를 돌보았다.)

라) since : since는 「~이래」의 뜻으로 완료형과 같이 쓰인다.

I have not seen him since he went to Busan.
(나는 그가 부산에 간 이래로 그를 보지 못했다.)

마) till, until : 「~할 때까지」의 뜻으로 계속을 나타낸다.

Walk on till you come to a bridge.
(다리에 도착할 때까지 계속해서 걸어라.)

바) It is not until ~ that … : 「~해서야 비로소 … 하다」

It was not until I got to my house that I knew I lost my watch. (집에 도착해서야 비로소 나는 시계를 잃어 버렸다는 것을 알았다.)

사) after, before : after는 「~한 후에」, before는 「~하기 전에」의 뜻으로 쓰인다.

He began to work after [before] he ate breakfast.
(그는 아침 식사를 한 후에 [하기 전에] 일하기 시작했다.

아) as soon as : as soon as는 「~하자마자」의 뜻으로 쓰인다.

He began to study as soon as he came home.
(그는 집에 오자마자 공부하기 시작했다.)

자) as long as : 「~하는 한, ~할 때까지」의 뜻으로 쓰인다.

I shall never forget your kindness as long as I live.
(나는 살아 있는 한은 너의 친절을 잊지 못할 것이다.)

② 장소를 나타내는 접속사

Where : where 는 「~하는 곳으로」의 뜻으로 쓰인다.

I'll take you where you can have a rest.
(나는 네가 쉴 수 있는 곳으로 너를 데리고 가겠다.)

3. 부사절을 이끄는 접속사 (Ⅱ)

부사절을 이끄는 접속사 중에는 원인 · 이유 · 목적 · 결과 등을 나타내는 것도 있다.

① 원인 · 이유를 나타내는 접속사

가) because, as, since : because는 종속절의 이유를 강조하며, 보통 주절 뒤에 오고, as는 이유보다는 주절을 강조하고 문장의 앞에 오며, since는 as와 비슷하나, 그 이유가 틀림없는 사실임을 강조한다.

He went to Busan, because he wanted to.
(그는 자신이 원해서 부산에 갔다. - 자신이 원했다는 것을 강조)

As you are not ready, we must go on.
(네가 아직 준비가 되어 있지 않으니, 우리만 가야겠다. - 우리만 가야겠다는 것을 강조)

Since there is no help, let's try to do it ourselves.
(틀림없이 우리를 도와줄 사람이 없으니, 우리 스스로 해보도록 하자. - 도울 사람이 없다는 것이 사실임을 강조)

나) now that ~ : 「이제 ~하게 됐으니」

Now that she is gone, I have nobody to love.
(이제 그녀가 가버렸으니, 내가 사랑할 사람은 아무도 없다.)

다) not ~ because … : 「…라고 해서 ~해서는 안 된다」

Don't despise a man because he is poor.
(어떤 사람이 가난하다고 해서, 그를 멸시하지 말라.)

② 목적을 나타내는 접속사

가) that, so that, in order that : 종속절에 조동사 may 또는 can과 함께 와서 「~하기 위해」의 뜻으로 쓰인다.

Do we live (so) that we may [또는 can] eat?
(우리는 먹기 위해 사는가?)

나) lest, for fear : 조동사 should와 함께 「~하지 않기 위해」의 부정적인 뜻으로 쓰인다.

I hid it last he (should) see it.
(나는 그것을 그의 눈에 띄지 않도록 숨겨 놨다.)

③ 결과를 나타내는 접속사

가) so that : so that 앞에 comma (,)가 있을 때.

I went early, so that I got a good seat.
(나는 일찍 가서, 좋은 자리를 얻을 수 있었다.)

나) so+형용사, 부사+that, such+형용사+명사+that : 「너무~해서~하다」

This stone is so heavy that I cannot lift it.
(이 돌은 너무 무거워서 나는 들어 올릴 수가 없다.)

This is such a heavy stone that I cannot lift it.
(이것은 너무 무거운 돌이라 나는 들어 올릴 수가 없다.)

4. 부사절을 이끄는 접속사 (Ⅲ)

부사절을 이끄는 접속사 중에는 조건 · 양보 · 양태 · 비교 등을 나타내는 접속사가 있다.

① 조건을 나타내는 접속사

가) if, suppose, supposing, in case : 「~이라면」

If you go, I'll go, too.
(네가 간다면, 나도 가겠다.)

Suppose he comes, what will you do for him?
(그가 온다면, 너는 그에게 무엇을 해 줄래?)

나) as long as, so longs as : 「~하는 한」

You are safe as long as I am here.
(내가 여기 있는 한 너는 안전하다.)

② 양보를 나타내는 접속사

가) though, although (비록~일지라도),
when (~인데 반해),
whether (~이든 아니든),
no matter how [who, what]
(제 아무리 어떻게 [누가, 무엇을] ~ 하더라도]

Though he is poor, he is honest.
(그가 비록 가난하지만, 그는 정직하다.)

나) if, even if, even though:(비록 ~ 일지라도)

Even if you don't like it, you should do it.
(네가 비록 그것을 싫어해도, 그것을 해야만 한다.)

다) as : 관사 없는 명사 (또는 형용사 · 부사)+as~가 문장 첫머리에 오면 (~이기는 하지만)의 뜻으로 쓰인다.

Child as he is (=Though he is a child), he can do it.
(비록 그가 어린애이긴 하지만, 그것은 할 수 있다.)

Tired as he was, he walked on.
(비록 피곤했지만, 그는 계속해서 걸었다.)

③ 양태 및 기타 사항을 나타내는 접속사

가) 양태 : as(~하는 대로), as A so B(A가 ~하듯 B도 ~하다), like (~처럼, ~같이), as if (마치 ~인 것처럼)

Do in tome as the Romaines do.
(로마에 가거든 로마 사람들이 하는 대로 행동하라.)

As life changes, so language changes.
(인간 생활이 변하듯, 언어도 변한다.)

나) 비교 : as : 원급에서
than :비교급에서

It is not so easy as you think.
(그것은 네가 생각하는 것만큼 그리 쉽지는 않다.)

Seoul was much bigger than I thought.
(서울은 내가 생각한 것보다 훨씬 컸다.)

다) 비례 : as, according as : (~함에 따라)

As she grew older, she got more beautiful.
(그녀가 나이가 들어감에 따라, 점점 더 예뻐졌다.)

UNIT 8 전치사 (Prepositions)

01 전치사의 특성

1. 전치사의 정의 및 성질

전치사는 문자 그대로 명사, 또는 대명사 앞에 놓여서 (전치)만이 제 기능을 하는 단어이다.

① **정의** : 전치사는 원래 부사였던 것이, 명사 앞에 와서 그 명사와 문장의 다른 부분과 밀접한 관계를 갖게 하는 단어이다.

He jumped over. (그는 뛰어 넘었다.) <부사>
He jumped over the face. (그는 담을 뛰어 넘었다.) <전치사>

She is in the room. (그녀는 방안에 있다.) <전치사>
Please come in. (들어오시오.) <부사>

② **전치사의 목적어** : 전치사 다음에는 명사 · 대명사 또는 명사 상당 어구(동명사 또는 부정사)가 반드시 목적어로 와야 된다.

가) 명사

He lives in Seoul. (그는 서울에서 산다.)

나) 대명사

I will go with him. (나는 그와 함께 가겠다.)

다) 동명사

Wash your hands before eating lunch.
(점심 먹기 전에 손을 씻어라.)

라) 부정사

He was about to start. (그는 막 출발하려고 한 참이었다.)

마) 명사절 : 명사절이 전치사의 목적어가 되는 경우는, 의문사 관계사로 연결된 경우나 that로 연결된 경우이다.

Men differ from animals in that they can think.
(인간은 생각할 수 있다는 점에서 동물과 다르다.)

바) 부사 : 부사가 명사로 쓰일 때 전치사의 목적어가 될 수 있다.

from here to there (여기서 저기까지)
for ever (영원히)　　from now (지금부터)

사) 형용사 : 형용사가 전치사의 목적으로 쓰일 때도 그 형용사가 명사로 쓰이는 경우이다.

after all (결국)　　at first (처음에는)
in short (간단히 말해서)　　at last (드디어)

③ 전치사의 분류

가) 단순전치사 … 단어 한 개로 된 전치사

in, on, at, from, with 등

나) 군전치사 … 두 개 이상의 단어로 된 전치사

because of, in front of, by means of 등

2. 전치사의 역할 및 위치

전치사는 다음에 오는 목적어와 결합하여 형용사구 · 부사구를 이룬다. 전치사의 위치는 항상 목적어 앞이지만, 예외의 경우가 있다.

① 전치사의 역할

가) 전치사+목적어=형용사구

「전치사+목적어」가 형용사처럼 쓰여서 바로 앞의 명사를 수식하거나 보어로 쓰인다.

The house on the hill is my uncle's. <명사 수식>

수식

(언덕 위에 있는 집은 우리 작은 아버지의 집이다.)

I am of no use. = I am useless. <보어>
(나는 아무짝에도 쓸모가 없다.)

나) 전치사+목적어=부사구

「전치사+목적어」가 부사처럼 쓰여서 동사 · 형용사 · 부사를 수식하거나 문정 전체를 수식한다.

My uncle's house stands on the hill. <동사 수식>

수식

(우리 작은아버지의 집은 언덕 위에 있다.)

To my surprise, his plan succeeded. <문장 전체 수식>
(놀랍게도, 그의 계획은 성공했다.)

② 전치사의 위치

가) 목적어 앞 : 전치사는 원칙적으로 목적어 앞에 온다.

He is from Busan. (그는 부산 출신이다.)

나) 전치사가 문장의 뒤에 오는 경우

1) 관계대명사가 목적어 일 때

This is the house that he lives in.

(이것이 그가 살고 있는 집이다.)

2) 의문사가 목적어일 때: 회화체에서는 전치사를 뒤에 쓴다.

Where are you from?

3) 형용사로 쓰인 부정사에서

He has no house to live in. (그는 살 집이 없다.)

He has no friend to talk with

(그는 이야기할 친구가 없다.)

4) 전치사를 포함한 동사의 수동태에서

We must take care of the baby.

→ The baby must be taken care of.

02 전치사의 종류

1. 시간을 나타내는 전치사

전치사의 용법은 다양하지만 이를 분류하면 시간 · 장소 · 이유 등으로 나눌 수 있다.

① at 「시각」, on 「날짜」, in 「월명, 계절, 연호」

at Nine (9시에), at noon (정오에), at present (현재에),
at the end (마지막에), at the same time (동시에),
at Christmas (크리스마스에), on Monday (월요일에),
on New Year's Day (설날에), in March (3월에),
in the 21th century (21세기에), in my life (내 생에),
in summer (여름에), in the future (미래에)

② by, until : 「~까지」

by 는 순간적으로 끝나는 동작을 「기한」을 until, till은 계속적인 동작의 끝나는 시점을 나타낸다.

Wait for me till five o'clock.
(나를 5시까지 기다려라. - 계속)

Finish it by five o'clock.
(그것을 5시까지 끝내라. - 완료)

③ from 「~부터」, since 「~부터 현재까지」

from은 어떤 일의 시발점만을 나타내고, since는 과거의 어떤 시점부터 현재까지의 계속을 나타낸다.

He works from morning till night.
(그는 아침부터 저녁까지 일한다.)

He has been working since this morning.
(그는 오늘 아침부터 지금까지 일해오고 있다.)

④ before「~전에」, after「~후에」

He studied before breakfast.
(그는 아침식사 하기 전에 공부했다.)

He went to school after breakfast.
(그는 아침식사 후 학교에 갔다.)

⑤ for, during

for는「기간」을, during은「특정한 기간의 일부, 또는 전부」를 나타냄.

for three days (3일 동안), for life (일생 동안),
during the vacation (방학 중에),
during my absence (내가 없는 사이에)

⑥ in, within

in은「~시간이 경과하면」, within은「~의 기간 내에」의 뜻.

I'll be back in a minute. (잠시 후에 돌아오겠다.)
I'll finish it within a month. (나는 그것을 한 달 이내에 끝내겠다.)

2. 장소를 나타내는 전치사 (Ⅰ)

장소를 나타내는 전치사도 그 특징에 따라, 지역을 나타내는 것,

상하 좌우 관계를 나타내는 것, 주위 관계 등을 나타내는 것 등으로 구분할 수 있다.

① 지역 · 지점을 나타내는 전치사

at : 비교적 좁은 장소
in : 비교적 넓은 장소

I arrived in Seoul yesterday.
(나는 어제 서울에 도착했다.)

I arrived at Seoul Station yesterday.
(나는 어제 서울역에 도착했다.)

② 상하 관계를 나타내는 전치사

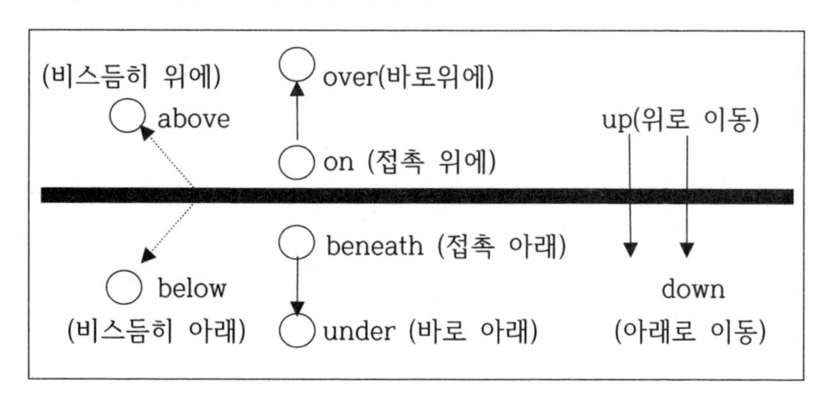

③ 장소 이동을 나타내는 전치사

가) in : 안에
into : 안으로
out of : 밖으로, 밖에서

나) to : 「~으로, ~에」「도착 지점」을 표시
for : 「~으로 향해서」「출발할 때의 행선지」를 표시

He went to Seoul. (그는 서울에 갔다.)
He left for Seoul. (그는 서울을 향해 출발했다.)

다) along : 「~을 따라서」, across : 「~을 가로 질러」,
through : 「~을 관통해서」

라) around, round : 「~을 돌아서」
The earth moves around the sun.
(지구는 태양의 주위를 돈다.)

3. 장소를 나타내는 전치사 (Ⅱ)

장소를 나타내는 전치사 중 주위 관계, 앞뒤 관계, 원근 관계 등을 나타내는 것도 있다.

① 주위 관계를 나타내는 전치사

가) between : 「~의 사이에」 …둘 사이
a mong : 「~의 사이에」 …셋 이상의 사이

나) about : 「주위를 이리저리」
He walked about the town.
(그는 시내를 이리저리 걸어 다녔다.)

② 전후 관계를 나타내는 전치사

가) before : 앞에
나) behind : 뒤에
다) after : 뒤에

③ 멀고 가까움을 나타내는 전치사

가) on : 「~에 접해 있는」의 뜻으로 접촉 · 접근을 나타낸다.

There is a hotel on the lake.
(호반에 호텔이 있다.)

나) by, beside : 「~옆에」의 뜻으로 쓰인다. beside가 by보다 접근감이 강하다.

There is a house by the river.
(강가에 집이 한 채 있다.)

He sat beside me.
(그는 내 옆에 앉았다.)

다) off : 「~에서 떨어져서」의 뜻으로 on고 반대의 뜻으로 쓰인다.

The houses off the road looked beautiful.
(도로에서 멀리 떨어져 있는 집들이 아름다워 보였다.)

4. 원인 · 이유, 목적 · 결과를 나타내는 전치사

「전치사+목적어」는 원인 · 이유, 결과 · 목적 등을 나타낼 수도 있다.

① 원인을 나타내는 전치사

가) from : 직접적 원인, though : 간접적 원인

He got ill from overwork. (그는 과로해서 병에 걸렸다.)
He failed through carelessness.
(그는 부주위해서 실패했다.)

나) die of : 질병, 노령, 굶주림 따위로 죽다.
die from : 사고, 부주의 등으로 죽다.

She died of cancer. (그녀는 암으로 죽었다.)
He died from overwork. (그는 과로로 죽었다.)

다) at, over : 어떤 감정을 갖게 된 원인을 나타낸다.
at은 「듣거나 보아서」 느끼게 되는 것,
over은 「사실」에 대한 감정을 나타낸다.
He was surprised at the news.
(그는 그 소식을 듣고 놀랐다.)

She cried over her lost doll.
(그녀는 인형을 잃어버려서 울었다.)

라) for, with : 행동의 원인을 나타낸다.
for은 정신적 원인, with는 외적인 원인을 나타낸다.
He cried for joy. (그는 기뻐서 소리를 질렀다.)

The girl was shivering with cold.
(소녀는 추워서 떨고 있었다.)

② 이유를 나타내는 전치사

가) for, on : for은 이유를, on은 근거를 나타낸다.
He was punished for stealing money.
(그는 돈을 훔쳤기 때문에 처벌당했다.)

He was dismissed on the ground that he was idle.
(그는 그가 게으르다는 근거로 해고 되었다.)

③ 결과를 나타내는 전치사

가) to : 「~의 결과 ~이 되다」의 뜻.

My house was burned to ashes.
(우리 집은 불타서 재가 되어 버렸다.)

나) into : 변화의 결과를 나타냄.

Water is changed into steam by heat.
(물에 열을 가하면 증기로 변한다.)

④ 목적을 나타내는 전치사

가) for : 목적 · 의도를 나타낸다.
after : 추구 · 탐구의 뜻을 나타낸다.

He worked for money. (그는 돈을 벌기 위해서 일했다.)
Man seeks after happiness. (인간은 행복을 추구한다.)

나) on : 여행의 목적을 나타낸다.

He went to Busan on business.
(그는 사업상의 용무로 부산에 갔다.)

He went to Deacheon in vacation.
(그는 휴가를 즐기러 대천에 갔다.)

5. 행위자 · 수단 · 재료 등을 나타내는 전치사

「전치사+목적어」가 행위자, 수단, 재료 등을 나타내는 수도 있다.

① 행위자 · 수단을 나타내는 전치사

가) by : 수동태에서 행위자를 나타내며, 통신 · 교통수단을 나타낸다.

Caesar was killed by Brutus.
(시이저는 브루터스에 의해 살해됐다.)

I come to school by bus.
(나는 학교에 버스를 타고 온다.)

나) with : 도구, in : 수단을 나타낸다.

He cut the tree with an axe.(그는 나무를 도끼로 잘랐다.)
Write the letter in ink. (편지를 잉크로 써라.)

다) through : 매체가 되는 수단을 나타냄.

We looked at the stars through telescope.
(우리는 망원경을 통해서 별들을 봤다.)

라) without : 「~없이」의 뜻으로 쓰인다.

He made it without a knife.
(그는 그것을 칼을 쓰지 않고 만들었다.)

② 재료 · 출신을 나타내는 전치사

가) of : 형태는 변하고 질은 변하지 않는 재료
from : 형태와 질이 다 변하는 원료

The desk is made of wood. (책상은 나무로 만든다.)
The wine is made from grapes. (포도주는 포도로 만든다.)

나) of : 출신 가문, from : 출신지를 나타낸다.

He is of a good family. (그는 명문의 가족 출신이다.)
He is from Busan. (그는 부산 출신이다. - 고향이 부산)

③ 기타 사항을 나타내는 전치사

가) 관련을 나타내는 전치사

1) of, about : 「~에 대해서」의 뜻, about가 더 자세한 사항을 나타낸다.

Do you know of such a man?
(너는 그런 사람에 대해서 아느냐?)

Do you know anything about him?
(너는 그에 대해서 아는 것이 있느냐?)

2) on : 연구 주제, 연설의 주제를 나타낸다.
He is writing a book on Hemingway.
(그는 헤밍웨이에 대해서 책을 한 권 쓰고 있다.)

나) 기준 · 척도를 나타내는 전치사

by : 계량의 기준, at : 가격, 속도를 나타낸다.

Meat is sold by the pound.
(쇠고기는 파운드 단위로 판다.)

I bought it at 300 won.
(나는 그것을 300원 깎아서 샀다.)

6. 주의해야 할 전치사 있는 숙어

전치사는 동사 · 형용사 · 명사 등과 합쳐져서 의미가 독특한 숙어를 이룬다.

① 동사+전치사

가) call at : (집으로) 방문하다.
call on :사람을 방문하다.
I called at Mr. Kim's house.
I called on Mr. Kim.

나) compare to (~에 비유하다)
compare with (~과 비교하다)

Compare your letter with his.
(너의 편지를 그의 것과 비교하라.)

He compared the sound of guns to thunder.
(그는 총소리를 천둥에 비유했다.)

다) get on : (말 · 탈 것 등에) 오르다.
get off : 내리다.
get to = reach : 도착하다.

라) 기타
listen to : ~에 경청하다.
look after : 돌보다. look at : 바라보다. look for : 찾다.
run after : 뒤를 쫓다. run over : (차가) 치다.
talk about : ~에 대해서 이야기하다.
talk to : ~에게 이야기하다.
wait for : 기다리다. wait on : 시중들다.
live on : ~을 먹고 살다.

② 형용사+전치사

be anxious about : ~에 대해서 염려하다.
be anxious for : ~을 열망하다.
be absent from : ~에 결석하다.
be present ar : ~에 출석하다.
be afraid of : ~을 두려워하다.
be different from : ~와 다르다.
be famous for : ~으로 유명하다.

③ 중요한 군전치사

가) 전치사+명사+전치사

by means of : ~을 통해서, ~으로
by way of : ~을 경유해서
for the purpose of : ~할 목적으로
for the sake of : ~을 위해서
in front of : ~의 앞에
in respect to : ~에 관하여
on account of : ~ 때문에

나) 접속사 · 부사 · 분사 · 명사+전치사

as for : ~에 관하여
as to : ~에 대하여
because of : ~ 때문에
instead of : ~ 대신에
out of : ~ 밖으로
according to : ~에 의하면
thanks to : ~ 덕분에

UNIT 9 관계대명사 · 관계부사

01 관계대명사

1. 관계대명사의 정의

문장에서 접속사와 대명사의 역할을 동시에 하는 것이 있다. 이를 관계대명사라 한다.

① **관계대명사의 정의** : 관계 대명사는 접속사와 대명사 구실을 동시에 하는 일종의 대명사이다.

I know a boy. + He lives in London.

→ I know a boy who lives in London.

(나는 런던에 사는 한 소년을 알고 있다.)

② **관계대명사의 역할** : 관계대명사는 바로 앞에 선행사를 수식하는 형용사절을 이끈다.

I know a boy who lives in London.

(소년) (런던에 사는)

<선행사> <형용사절>

③ **관계대명사를 사용한 문장의 연결**

가) I have a friend + The friend sings well.

⬇ 관계변화 (같은 명사끼리 나란히 놓는다.)

I have a friend (the friend sings well).

⬇ 대명사화 (뒤의 명사를 관계대명사로 변형)

I have a friend who sings well.

나) The boy in Ned. + The boy is playing the piano

⬇ 관계변화 (같은 명사를 나란히)

The boy (The boy is playing the piano) in Ned.

⬇ 대명사화 (뒤의 명사를 관계대명사로)

The boy who is playing the piano is Ned.

(피아노를 치고 있는 소년이 네드이다.)

2. 관계대명사의 종류 · 격

관계대명사도 일종의 대명사이므로, 그 선행사가 사람이냐, 사람이 아니냐에 따라 그 종류가 다르며, 대명사처럼 주격 · 소유격 · 목적격의 격변화를 한다.

① 관계대명사의 종류 및 격변화

격 / 선행사	주격	소유격	목적격
사람	who	whose	who(m)
동물 · 사물	which	whose	which
사람 · 동물 · 사물	that	[of which]	that

관계대명사는 선행사가 사람일 때는 who, 또는 that를 쓰고 사람이 아닐 때는 which, 또는 that를 쓴다. who의 목적격은 whom을 쓰지만 회화에서는 who를 더 많이 쓰며, which의 소유격은 whose와 of which 둘이 있고, that의 소유격은 없다.

가) 주격 : 관계대명사로 변할 명사 · 대명사가 주어일 때.

Jane has an uncle. He is very kind.
→ Jane has an uncle who [that] is very kind.
(제인에게는 아주 친절한 작은 아버지가 계시다.)

The book is mine. It is on the desk.
→ The book which [that] is on the desk is mine.
(책상 위에 있는 책은 내 것이다.)

나) 목적격: 관계대명사로 변할 명사 · 대명사가 목적어일 때.

Jane has an uncle. She loves him.
→ Jane has an uncle whom [that] she loves.
(제인에게는 자신이 좋아하는 작은 아버지가 계신다.)

The book mine. I read the book.
→ The book whish [that] I read is mine.
(내가 읽은 그 책은 내 것이다.)

다) 소유격 : 관계대명사로 변할 명사 · 대명사가 소유격일 때.

Jane has an uncle. His name is George.
→ Jane has an uncle whose name is George.
(제인은 그의 이름이 조지인 작은아버지가 계신다.)

The book is mine. Its cover is green.
→ The book whose cover is green is mine.
(그 표지가 녹색인 책이 내 것이다.)

② 관계대명사의 종류 및 격의 판단 방법

가) 관계대명사의 종류 → 선행사가 결정한다.

나) 관계대명사의 격 → 형용사절에서의 관계대명사의 역할이 결정한다.

3. that의 특별용법 · 관계대명사의 생략

관계대명사 that는 선행사가 사람이든 아니든 간에 쓸 수 있으나, 꼭 that 만을 써야 되는 경우가 있다. 또 관계대명사는 생략해도 되는 경우가 있다.

① that의 특수 용법

가) 선행사에 형용사의 최상급이 있을 때

This is the biggest doll that she has.
(이것은 그녀가 가지고 있는 인형 중 가장 큰 것이다.)

He is the richest man that I know.
(그는 내가 아는 사람 중 가장 부자이다.)

나) 선행사에 the frist, the last, the only, the same, the very(바로 그), all the(모든), every, any, no 등이 있을 때

Bob is the only boy that knows it.
(밥은 그것을 아는 단 한 사람이다.)

This is the same watch that I lost.
(이것은 내가 잃어버린 바로 그 시계이다.)

다) 선행사 all. something, everything, anything일 때

This is all that I have. (이것이 내가 가진 전부이다.)

② 관계대명사의 생략

가) 목적격 - 관계대명사의 목적격은 생략할 수 있다.

Is that the boy (whom) you taught?
(저 아이가 네가 가르쳤던 아이니?)

This is the book (that) I bought. (이것이 내가 산 책이다.)

나) 주격

1) There is ~ 로 시작되는 문장에서

There is a man (who) wants to see you.

(너를 보고 싶어 하는 사람이 있다.)

2) 관계사 절이 there is ~로 시작 될 때

This is the only book (that) there is in this room.

(이것이 이 방에 있는 단 하나의 책이다.)

3) 보어로 쓰일 때

He is not the man (that) he was when young.

(그는 젊었을 때의 그가 아니다.)

다) 관계대명사 + be : 관계대명사 + be는 생략 할 수 있다.

The house (which is) on the hill is my uncle's.

4. 관계대명사 who, which의 용법

관계대명사 앞에 comma(,)가 있느냐 없느냐에 따라 뜻은 커다란 차이가 있다.

① **제한적 용법** : 관계대명사 앞에 comma(,)가 없을 때. 이때 관계사절은 형용사절로서, 앞에 선행사의 의미를 한정한다.

The girl who is playing in the garden is my sister.

(정원에서 놀고 있는 소녀는 나의 누이 동생이다.)

② **계속적 용법** : 관계대명사 앞에 comma가 있을 때. 이때는 관계사절은 선행사를 수식하지 않는다.

가) 삽입 절 앞뒤에 comma가 올 때.

My uncle, who lives in Paris, came to see us.
(우리 작은아버지는, 파리에 사시는데, 우리를 만나러 오셨다.)

나) 대등절과 같은 역할 (=접속사+대명사)

I met Mr. Brown, who (=and he) told me the news.
(나는 브라운 씨를 만났는데, 그가 그 소식을 나에게 알려 주었다.)

I met Mr. Brown, who (=but he) said nothing about it.
(나는 브라운 씨를 만났으나, 나에게 아무 말도 하지 않았다.)

다) 이유를 나타내는 부사절 역할 (=because+대명사)

I like Tom, who (=because he) is honest.
(나는 탐을 좋아한다. 왜냐하면 그가 정직하기 때문이다.)

라) 양보를 나타내는 부사절 역할 (=though+대명사)

The farmer, who is poor, is honest.
= The farmer, though he is poor, is honest.
(그 농부는 비록 가난하지만, 정직하다.)

5. 관계대명사 what, as, but의 용법

what, as, but 등이 관계대명사로 쓰일 때도 있다.

① what의 용법

가) what = the thing which

what가 관계대명사로 쓰일 때는 the thing(s) which [~하는 것]의 뜻으로 선행사를 포함한 관계대명사로 쓰인다.

That is the thing which I wanted to know.
→ That is what I wanted to know.
(그것은 내가 알고 싶었던 것이다.)

나) what의 관용적 표현

1) what we call, what they call, what is called : [소위]
   She is what is called a modern women.
   (그녀는 소위 현대 여성이다.)

2) What is + 비교급 : [더욱 ~한 것은]
   She is beautiful, and, what is better, she is kind.
   (그녀는 예쁘다, 거기다가 더욱 좋은 것은, 그녀는 친절하다.)

   It was dark. and, what was worse, it began to rain.
   (어두웠다. 거기다 설상가상으로, 비가 오기 시작했다.)

3) A is to B what C is to D : [A: B=C: D]
   Reading is to the mind what food is to the body.
   (음식이 몸을 살찌게 하듯 독서는 마을을 살찌게 한다.)

② as의 용법

관계대명사 as는 the same, such 등과 관련지어져서 쓰인다.

This is the same watch as I have lost.
(이것은 내가 잃어버린 것과 같은 종류의 시계다.)

Your plan is not such as I can approve.
(너의 계획은 내가 찬성할 수 있는 것이 못된다.)

③ but의 용법

but는 앞 문장이 부정문일 때 <that~not>의 뜻으로 쓰인다.

There is no one but knows it.
= There is no one that does not know it.
(그것을 모르는 사람은 아무도 없다.)

02 관계부사

1. when, where, why, how

관계부사는 접속사+부사의 역할을 하며 관계대명사처럼 형용사절을 이끈다.

① 관계대명사와 관계부사의 관계

가) This is the town. He was born in this town.

⇓관계대명사 변형

This is the town in which he was born.

(이곳이 그가 태어난 읍이다.)

나) This is the town + He was born in this town.

⇓부사 변형 <부사구>

This is the town. + He was born here.

⇓관계 변형

This is the town (here he was born).

⇓관계 부사화

This is the town where he was born.

(이곳이 그가 태어난 읍이다.)

위에서 보듯이 **관계부사=전치사+관계대명사**이다.

② 관계부사의 종류 : 관계부사는 성행사가 **시간, 장소, 방법, 이유** 중 어느 것이냐에 따라 **when, where, how, why**로 나뉜다.

선행사	관계부사	관계대명사와 관계
시간 (the time [day, year 등])	when (that)	at [in, during, for] which
장소 (the place [city, town 등])	where (that)	in [at, to] which
이유 (the reason)	why (that)	for which
방법 (the way)	how (that)	is which

This is the house where I live.
= This is the house is which I live.
(이것이 내가 사는 집이다.)

I met him on the day when he arrived.
= I met him on the day on which he arrived.
(나는 그가 도착한 날에 만났다.)

This is the reason why he came here.
= This is the reason for which he came here.
(이것이 그가 여기에 온 이유이다.)

This is the way [how] he succeeded.
= This is the way in which he succeeded.
(이것이 그가 성공한 방법이다.)

2. 관계부사의 용법 · 생략

관계부사는 관계대명사처럼 계속적용법으로도 쓰이고, 생략할 수도 있으며, 관계대명사와는 달리 선행사도 생략할 수 있다.

① 관계부사의 용법

가) 제한적용법 : 관계부사 앞에comma가 없을 때, 앞의 명사(선행사)를 수식하는 형용사적을 이끈다.

This is the village where he was born.

수식

(이곳이 그가 태어난 마을이다.)

나) 계속적용법 : 관계부사 앞에 comma가 있을 때.

관계부사 = 접속사+부사 의 뜻.

관계부사 중 when과 where만 계속적용법이 있다.

I met him at six, when (=and then) the sun rose.

(나는 그를 6시에 만났는데, 그대 태양이 떠올랐다.)

I went to the store, where (=and there) I met him.

(나는 그 상점에 갔는데, 그를 끼서 만났다.)

② 관계부사의 생략 : 관계부사가 제한적 용법으로 쓰일 때만 생략이 가능하다.

가) 관계부사의 생략 : 관계부사는 생략할 수 없다.

This is the place (where) I give up.

(이곳이 내가 자라난 곳이다.)

Do you know the reason (why) he got angry?

(너는 그가 화를 낸 이유를 아느냐?)

Tell me the way (how) you studied English.

(네가 영어 공부한 방법을 알려다오.)

Please let me know the time (when) you will leave.

(네가 떠날 시간을 알려 다오.)

나) 선행사의 생략 : 선행사가 the time, the place, the reason, the way 일 때는 뒤의 관계부사가 그 뜻을 나타내주므로 생략할 수 있다.

Tell me (the time) when he arrived.
(그가 도착한 시간을 알려다오.)

This is (the place) where we used th meet.
(이곳이 우리가 만났던 곳이다.)

That is (the reason) why I don't believe him.
(그것이 내가 그를 믿지 않는 이유이다.)

That was (the way) how he succeeded.
(그렇게 해서 그는 성공했다.)

3. 복합관계대명사 · 복합관계부사

[관계대명사 · 관계부사+ever]로 된 것을 복합관계대명사 · 복합관계부사라 한다.

① 복합관계대명사

가) 형태 : [who. what, which] + ever

나) 뜻 : whoever = anyone who [누구나]
whatever = anything that [무엇이나]
whichever = any thing which [어느 것이나]

다) 용법 : [선행사+관계대명사]로 명사절을 이끈다.
He told the story to whoever would listen.
(그는 듣고 싶어하는 사람이면 누구에게나 그 이야기를 했다.)

You can take whatever you want to have.
(가지고 싶은 것은 어느 것이나 가져도 좋다.)

② 복합관계부사

가) 형태 : [when, where, how]+ever

나) 뜻 : whenever=at any time when [언제라도]
wherever=at [in, to] any place where [어디든지]
however=is whatever way [어떻게든지]

다) 용법 : [선행사+관계부사]의 뜻으로 부사절을 이끈다.

Come whenever you like to.
(네가 오고 싶으면 언제든지 와라.)

You may go wherever you want to live.
(네가 살고 싶은 곳이면 어디로든지 가도 좋다.

③ 복합관계대명사 · 복합관계부사의 특수 용법

가) ~ever = no matter ~ [제 아무리 ~하더라도]의 양보절을 이끌 때가 있다.

Whoever (=No matter who) may try it, he will fail.
(제아무리 어떤 사림이 그것을 하더라도 그는 실패할 것이다.)

Whenever (=No matter when) you may come, I will welcome you. (네가 언제 오더라도, 나는 너를 환영하겠다.)

Wherever (=No matter where) you go, I will follow you.
(네가 제아무리 어디로 가든지, 나는 너를 따르겠다.)

He will not succeed, however(=No matter how) he may work.
(그가 제아무리 열심히 일해도 그는 성공하지 못할 것이다.)

Whatever(=No matter what) you may say, I won't believe you. (네가 제아무리 무슨 말을 해도, 나는 네 말을 믿지 않을 것이다.)

UNIT 10 동사 (Verbs)

01 동사의 종류

1. 완전자동사

목적어나 보어가 필요 없이 「주어+동사」만으로 문장의 뜻을 완전하게 하는 동사이다.

① **특징** : 「주어+동사」로 제1문형 (S+V)을 이룬다.

② **완전자동사의 대표적인 것** : go(가다), come(오다), live(살다), work(일하다), swim(수영하다), walk(걷다), sleep(잠자다) 등

2. 불완전자동사

목적어는 필요하지 않으나, 보어가 필요한 동사이다.

① **특징** : 「주어+동사+보어」로 된 제2문형(S+V+C)을 이룬다. 이때 주어 · 보어의 관계는 주어=보어이다.

He is a doctor. (그는 의사이다. He=a doctor)

② **불완전자동사의 대표적인 것** :

가) 상태를 나타내는 동사 : be(~이다.), look, seem, appear (~일 것 같다.)

나) 상태의 변화를 나타내는 동사 : become, get, grow, turn, go, come (~이 되다.)

다) 감각을 나타내는 동사 : feel(~을 느끼다), smell(~의 냄새가 나다), taste(~의 맛이 있다), sound(~처럼 들리다)

라) 상태의 보족을 나타내는 동사 : keep (~의 상태를 유지하다), remain (~의 상태를 유지하다)

③ **보어로 명사 · 형용사가 올 수 있는 자동사** : be, become, grow

(O) He became a doctor. (그는 의사가 되었다.)
(O) He became rich. (그는 부자가 되었다.)

④ **보어로 형용사만 오는 자동사** : seem, appear, feel, smell, look, taste, sound

(X) It sounds a great idea.
(O) It sounds great. (굉장히 좋은 이야기다.)

3. 완전타동사

목적어 하나만 필요한 동사를 완전타동사라 한다.

① **특징** : 「주어+동사+목적어」로 제3문형을 이룬다. 목적어는 반드시 동사 다음에 온다.

A cat caught a mouse. (고양이가 쥐를 잡았다.)
A mouse caught a cat. (쥐가 고양이를 잡았다.)

② 동사의 전용

가) 자동사⇆타동사

The door opened. (문이 열렸다. - 자동사)

I opened the door. (나는 그 문을 열었다. - 타동사)

나) 자동사+전치사=타동사

I called on him = I visited him.

look at = see(보다), think of = consider(생각하다) 등

다) 타동사+명사+전치사=타동사

He took care of the dog. (그는 그 개를 돌보았다.)

make use of = use, pay a visit to = visit 등

③ 동족목적어를 취하는 동사 : 자동사 중 의미가 같은 명사만을 목적어로 취해서 타동사로 쓰이는 동사

He lived a happy life. (그는 행복한 삶을 살았다.)

go a long way (먼 길을 가다)

dream a sweet dream (단꿈을 꾸다) 등

4. 수여동사

타동사 중 목적어만을 두 개 가지는 동사. 보통 「~에게 ~을 (하여) 주다」의 뜻을 가지므로, 수여동사라고 한다.

① 특징 : S+V+I. O(간접목적어)+D. O(직접목적어)로 된 제4문형을 이룬다.

I showed <u>him</u> an <u>album</u>. (나는 그에게 앨범을 보여주었다.)
(간접목적어) (직접목적어)

② 제4문형 → 제3문형으로

가) to+간접목적어로 to가 오는 동사 : give, tell, lend, send, show, pass, pay, offer, promise, bring, teach 등

He gave me a book. → He gave a book to me.
I.O D.O S + V + O M(수식어)

나) for+간접목적어로 for가 오는 동사 : buy, make, do(해주다), get(얻어주다), leave(남겨놓다), order(명령하다), choose, cook 등

She left you a message.
= She left a message for you.
(그녀가 너에게 전갈을 놓고 갔다.)

다) of+간접목적어로 of가 오는 동사 : ask, inquire 등
He asked me a question. → He asked a question of me.

라) 3형식으로 표현할 수 없는 동사 : answer(대답하다), envy (부러워하다), forgive(용서하다) 등

(O) I envy you your good fortune.
(나는 행운을 잡은 네가 부럽다.)
(X) I envy your good fortune of you.

마) 반드시 3형식으로 표현해야 되는 경우 : 목적어가 둘 다 대명사인 경우

(X) He gave me it.
(O) He gave it to me. (그는 그것을 나에게 주었다.)

5. 불완전타동사

「주어+동사+목적어」만으로는 의미가 불완전해서 목적보어를 필요로 하는 동사이다.

① **특징** : 「주어+동사+목적어+목적보어」로 제5문형을 이룬다.
목적어와 목적보어의 관계는 목적어=목적보어이다.

We elected him chairman. (우리는 그를 의장으로 선출했다.)

② **불완전타동사** : 대표적인 것- call(부르다),
name(~라고 이름 짓다), elect(~로 뽑다),
appoint(~에 임명하다), think(~라고 생각하다),
believe(~라고 믿다), make(~이 되게 하다),
find(~임을 알다), keep(계속 ~하게 하다) 따위

They kept the room warm.
(그들은 그 방을 따뜻하게 유지시켰다.)

02 동사의 활용

1. 규칙동사

과거형 · 과거분사형 = 원형+-ed

look - looked - looked

open - opened - opened

① -ed를 붙일 때의 예외

가) -e로 끝난 경우 → -d만 붙임	like(좋아하다) love(사랑하다)	liked loved	liked loved
나) 「자음+y」로 끝난 경우 → y를 I로 고치고 -ed	study(공부하다) cry (울다)	studied cried	studied cried
다) 1음절이고 「단모음+단자음」으로 끝난 경우 → 자음을 겹치고 -ed	drop(떨어뜨리다) beg (빌다)	dropped begged	dropped begged
라) 끝음절에 accent가 있고 「단모음+단자음」으로 끝난 경우 → 자음을 겹치고 -ed	omit (생략하다) occur(발생하다) *cf.* visit	omitted occurred visited	omitted occurred visited
마) [k]로 소리나는 c로 끝난 경우 → k를 덧붙이고 -ed	picnic(소풍가다)	picnicked	picnicked

② -ed의 발음

가) [t], [d]로 끝난 동사 다음 : [id]

waited [wéitid]   ended [éndid]

나) [t] 이외의 무성음 다음 : [t]

worked [wə:rkt]   stopped [stapt]

다) [d] 이외의 유성음 다음 : [d]

played [pleid]   called [kɔ:ld]

2. 불규칙동사

불규칙동사는 과거 · 과거분사형이 특정한 규칙이 없이 변화하는 동사이다. 일상 생활에서 특히 자주 쓰이는 동사들이 불규칙도사이므로 철저히 외어 두어야 한다.

① 불규칙동사의 활용

가) <AAA형>

cost(비용이 들다)   cost   cost
hit   hit   hit

나) <BBB형>

keep(보존하다)   kept   kept
lend(빌려주다)   lent   lent
send(보내주다)   sent   sent
buy(사다)   bought   bought

다) <ABC형>

begin(시작하다)   began   begun

wear(입다)	wore	worn
write(쓰다)	wrote	written

라) <ABA형>

run(달리다)	ran	run
come(오다)	came	come

② 발음에 주의해야 할 불규칙동사

say[sei] - said[sed] - said[sed]
hear[hiər] - heard[həːrd] - heard[həːrd]
mean[miːn] - meant[ment] - meant[ment]
read[riːd] - read[red] - read[red]

③ 틀리기 쉬운 불규칙동사

lie(거짓말하다) - lied - lied
lie(눕다) - lay - lain
lay(눕히다) - laid - laid

find(발견하다) - found - found
round(기초를 놓다) - founded - founded

hang(걸다) - hung - hung
hang(교수형에 처하다) - hanged - hanged

become(~이 되다) - become - become
welcome(환영하다) - welcome - welcomed

UNIT 11 시제 (Tenses)

01 기본시제

1. 현재시제 (I)

현재시제는 동사원형+(-s, -es)가 나타내는 시제를 말한다.

① 형태

가) 현재형=원형 : 주어가 3인칭 단수가 아닐 때.

I play tennis. (나는 테니스를 한다.)

We play tennis. (우리는 테니스를 한다.)

나) 현재형=원형+-(e)s : 주어가 3인칭 단수 일 때.

lives raise comes …… [z] <유성음 다음>

keeps asks sits …… [s] <무성음 다음>

다) [자음+y]로 끝난 동사의 3인칭 단수 현재형 : y→i로 하고, -es를 붙인다.

cry → cries, study → studies, try → tries ……[z]

라) be동사와 have동사의 현재형

인칭	be		have	
	단 수	복 수	단 수	복 수
1	I am …	We are …	I have …	We have …
2	You are …	You are …	You have …	You have …
3	He is …	They are …	He has …	They have …

2. 현재시제 (Ⅱ)

현재시제는 현재 사실만 나타내지는 않는다.

① 용법

가) 현재의 사실 · 상태

My sister knows French. ……… <사실>
(나의 누나는 불어를 안다.)

She has black hair. ………………<상태>
(그녀의 머리는 검다.)

나) 현재의 습관적 동작

I get up at six every day.
(나는 날마다 6시에 일어난다.)

다) 일반적 진리

The sun rises in the east.
(태양은 동쪽에서 뜬다.)

라) 역사적 현재 : 과거에 있었던 일을 생생하게 표현할 때.
과거에 있었던 일을 생생하게 표현할 때.

Now Napoleon leads his army across the Alps.
(이제 나폴레옹이 그의 군대를 이끌고 알프스를 넘는다.)

마) 미래 대응

1) 발착동사 : (go, come, leave, start, arrive 등)에서 미래형부사와 함께 올 때.

He arrives next Sunday.
(그는 다음 주 일요일에 도착할 것이다.)

He goes back to America soon.
(그는 곧 미국으로 돌아갈 것이다.)

2) 때 · 조건을 나타내는 부사절에서 (when, if, after, till, as soon as 등 다음에서).

Wait here till I come back.
(내가 돌아올 때까지 기다려라.)

When he comes, he will be welcomed.
(그가 온다면, 그는 환영 받을 것이다.)

3. 과거시제

과거시제는 동사의 과거형으로 표현하며, 현재와 상관없는 과거의 일만을 나타낸다.

① **형태** : 과거형(규칙 동사는 원형+-ed)이 과거시제를 나타내며, be동사를 제외하고는 인칭에 따른 형태의 변화가 없다.

인칭	be	
	단수	복수
1	I was ~	We were ~
2	You were ~	You were ~
3	He was ~	They were ~

② 용법

가) 현재와 상관없는 과거의 사실 · 과거의 동작

Columbus discovered America in 1492.
(콜럼버스는 1492년에 아메리카를 발견했다.)

We visited Hawaii last year.
(우리는 작년에 하와이에 갔었다.)

나) 현재와 상관없는 과거의 습관

I often went skating in winter.
(나는 겨울에는 자주 스케이트 타러 갔다.)

He came every Monday morning.
(그는 매주 월요일 아침에 왔었다.)

다) 완료시제의 대용

1) 현재완료의 대용 : ever, never 등과 함께 와서 경험을 나타내는 현재완료 대신 쓰인다.

Did you ever see a tiger?
(= Have you ever seen a tiger?)

2) 과거완료의 대용 : after (~한 후에), before (~하기 전에) 등과 함께 쓰일 때는 시간의 순서가 명확하므로.

The train started before I reached the station.
(그 기차는 내가 정거장에 도착하기 전에 출발했다.)

I went to the market after he came home.
(나는 그가 집에 온 후에 시장에 갔다.)

4. 미래시제 (I)

미래시제는 will/shall + 동사의 원형으로 표현한다. 미래에 일어날 일은 가능성만을 나타낼 뿐이므로, 인간의 의지(뜻)와는 상관이 없는 단순미래와 인간의 뜻에 조우되는 의지미래가 있다.

① **단순미래** : 말하는 사람이나 듣는 사람의 뜻과는 관계없이 일어나는 단순한 가능성만을 나타낸다.

인칭	평 서 문	의 문 문
1	I [we] will ~ [shall~]	Shall I [we] ~?
2	You will ~	Will you ~?
3	He [They] will ~	Will he [they] ~?

② **평서문의 의지미래** : 말하는 사람 (1인칭)의 의지

I [We] will ~. (나는 [우리는] ~하겠다.)
You shall ~. (나는 너를 ~하게 하겠다.)
He [She, They] shall ~.
(나는 그를[그녀를, 그들을] ~하게 하겠다.)

용법

1) 주어가 1인칭일 때 - 말하는 사람이 「~하겠다」는 자신의 의지.
I will meet you tomorrow. (나는 너를 내일 만나겠다.)

2) 주어가 2인칭일 때 - 상대방을 「~하게 하겠다」라고 말하는 사람의 의지.

You shall die. (=I will kill you.)
(나는 너를 죽게 하겠다. → 나는 너를 죽이겠다.)

3) He shall come. (=I will let him come.)
(나는 그를 오게 하겠다.)

5. 미래시제 (Ⅱ)

의문문에서의 의지미래는 상대방의 의향을 묻는 말이 된다.

① 의문문에서의 의지미래

가) 형태

shall I ~? (제가 ~할까요?) Will you ~? (~하겠습니까?) Shall he ~? (그를 ~하게 할까요?)

나) 용법 : 상대방의 의지를 묻는다.

1) Shall I open the window? (제가 창문을 열까요?)

2) Will you open the window?
(창문을 좀 열어 주시겠습니까?)

3) Shall he come tomorrow ? Yes, he shall.
(그가 내일 와야 합니까? 그래야 된다.)

Shall they wait? Yes, let them wait.
(그들을 기다리게 할까요? 그래라.)

② 주어의 의지를 나타내는 경우

인칭에 관계없이 will을 쓰고, 강하게 발음한다.

I will do as I like.
(나는 내가 하고 싶은대로 하겠다.)

You will do it.
(너는 그것을 하려고만 드는구나.)

Will they help us?
(그들이 우리를 도우려 할까?)

③ Will / Shall 이외에 미래시제를 나타내는 것들

가) be going to [~할 예정이다]

I am going to play tennis. (나는 테니스 할 예정이다.)

나) be about to ~ [~하려고 하다]

The moon is about to rise.
(달이 뜨려고 한다.)

다) go, come, start 등의 발착동사

1) 현재형 + 미래를 나타내는 부사
He comes tomorrow.

2) 진행형 + 미래를 나타내는 부사
He is going to church tomorrow.

02 진행시제

1. 현재진행시제

현재진행시제는 am/are/is+~ing (be의 현재형+현재분사)로 표현한다.

① **현재분사의 형태** : 동사의 원형+~ing

go(가다) - going
read(읽다) - reading
study - studying

-e로 끝나는 동사 → -e를 없애고 ~ing	come - coming live - living <예외> be - being see - seeing
-ie로 끝나는 동사 → -ie를 y로 고치고 ~ing.	die - dying lie - lying tie - tying
1음절이고, 단모음+단자음으로 끝나는 동사 → 끝자음을 겹치고 ~ing.	run-running swim- swimming get - getting stop - stopping
2음절이고, accent는 둘째음절에 있고, 단모음+ 단자음으로 끝난 경우 → 끝자음을 겹치고 ~ing	begin - beginning forget - forgetting admit - admitting *cf.* visit - visiting, offer- offering

② **용법**

가) 현재진행 중인 (끝나지 않은) 행위를 나타낸다.

He is going to school now.
(그는 지금 학교에 가고 있다.)

③ **현재진행시제와 현재시제의 차이**

현재시제는 현재사실 · 습관 등을 나타내고, 진행시제는 현재 하고 있는 일을 나타낸다.

He goes to school.(그는 학교에 다닌다 [학생이다.]) <현재사실>
He is going to school. (그는 지금 학교에 가는 중이다.) <진행 중>

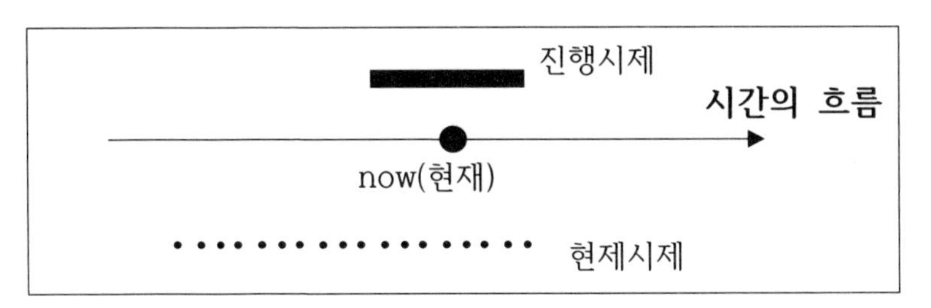

④ **진행시제로 표현할 수 없는 동사** : 현재진행형은 일시적으로 진행 중인 동작을 나타내므로 다음과 같은 동사는 진행형이 될 수 없다.

가) 계속적 상태를 나타내는 동사 : be, have, resemble (닮다), belong(~에 속하다), live(살다) 등

나) 지각동사 · 심리상태를 나타내는 동사 : see, hear, smell, love, like (좋아하다), know, think 등

I know him. (O)
I am knowing him. (X)

2. 과거진행시제 · 미래진행시제 · 진행형의 특수용법

과거진행시제는 was/were+~ing, 미래진행시제는 will/shall +be+~ing로 표현한다.

① **과거진행시제의 용법** : 과거의 어떤 순간에 진행 중인 일을 나타낸다.

He was reading a book when I saw him.
(내가 그를 봤을 때 그는 책을 읽고 있었다.)

② **미래진행시제의 용법** : 미래의 어떤 순간에 진행 중인 일을 나타낸다.

I'll be eating breakfast this time tomorrow.
(나는 내일 이맘때는 아침 식사를 하고 있을 것이다.)

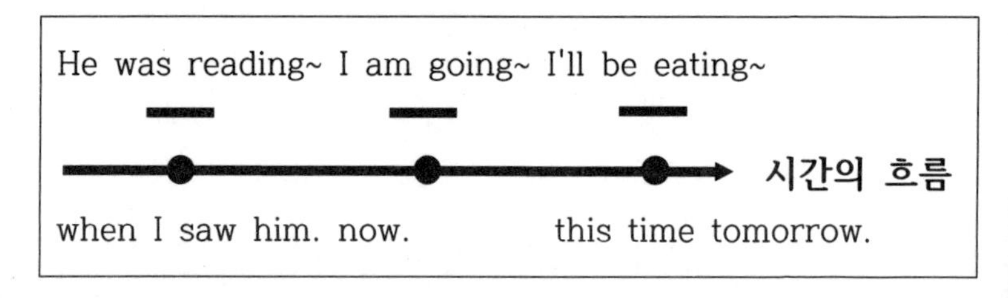

③ **진행형의 특수 용법**

가) live의 진행형 : 일시적으로 체류 중임을 나타냄.

I live in Seoul. (나는 서울에서 산다.)
- <주소가 서울>

I am living in Seoul. (나는 임시로 서울에서 살고 있다.)
- <주소는 서울이 아님>

나) 발착동사(go, come 등)의 진행형+미래를 나타내는 부사 : 미래의 예정을 나타냄.

I am coming right now. (곧 갈게.)

When are you leaving for America?
(언제 미국으로 떠나니?)

다) 진행형+always (constantly(항상), continually (계속적으로), forever (항상) 등: 버릇, 관습 등을 나타냄.

I am always forgetting something.
(나는 건망증이 심하다.)

라) 진행형+상당히 긴 기간을 나타내는 부사 : 일시적인 동작의 반복, 상태의 계속을 나타냄.

They are having breakfast at eight this week.
(그들은 금주에는 (일시적으로)8시에 아침을 먹고 있다.)

Tom was sleeping on the sofa last week.
(탐은 지난주에는 소파에서 잠을 잤다.)

03 완료시제

1. 현재완료 (Ⅰ)

현재완료는 과거의 일정한 시점과 현재를 관련지어 표현하는 시제이다.

① **형태** : have/has + 과거분사

② **용법**

가) 완료: just(방금), already(이미), yet(벌써), now(지금) 등과 함께 쓰며, 과거부터 해오던 일이 방금 끝남을 나타냄.

I have just finished my homework.
(나는 방금 숙제를 끝냈다.)

나) 결과 : 과거의 행위의 결과가 현재까지 남아 있음을 나타냄.

Spring has come.
(봄이 왔다. - 그래서 지금은 봄이다.)

I have caught cold.
(나는 감기에 걸려 있다. - 지금도 앓고 있다.)

다) 경험 : ever, never, once, often 등의 부사와 함께 쓰임. 현재까지의 경험을 표현.

Have you ever seen a tiger?
(호랑이를 본 일이 있니?)

I have once been to Seoul.
(나는 서울에 한 번 갔다 온 일이 있다.)

라) 계속 : since(~이래), for(~동안) 등의 기간을 표시하는 부사구와 함께 쓰임. 과거부터 해오던 일의 계속 중임을 표현.

My brother has been sick since last Sunday.
(나의 형은 지난 일요일부터 쭉 아파 왔다.)

I have lived here for three years.
(나는 여기서 3년 동안 살아오고 있다.)

2. 현재완료 (Ⅱ)・현재완료진행

현재완료는 명백한 과거를 나타내는 부사와 쓰이지 않는다. 현재완료진행은 동작의 계속을 강조한다.

① 현재완료진행

가) 형태 : have/has+been+~ing

나) 용법 : 현재완료가 가지는 계속의 뜻을 강조한다.

I began to study English at six o'clock.
I'm still study it.
→ I have been studying English since six o'clock.
(나는 6시 이후 계속해서 영어를 공부하고 있다.)

② 주의해야 할 현재완료형

가) have gone [come] : 가[와]버렸다.
have been to [it] : 갔다 온[산] 적이 있다.

He has gone to America. (그는 미국에 가버렸다.)
ㅡ<결과>
He has been to America.(그는 미국에 갔다 온 일이 있다.)
-<경험>

He has come here. (그는 여기에 와 있다.) - <결과>

He has often been here. (그는 여기에 자주 왔다.)-<경험>

③ **현재완료형을 써서는 안 되는 경우** : yesterday, when, last week, three days ago 등 명백한 과거를 나타내는 말과는 함께 쓸 수 없다.

(O) He went to London yesterday.

(X) He has gone to London yesterday.

(O) When did you come home?

(X) When have you come home?

3. 과거완료 · 미래완료

과거완료나 미래완료의 용법은 현재완료의 용법과 같이, 완료, 결과, 계속, 경험을 나타낸다. 그 기준점을 과거 · 미래의 일정한 시점에 두는 것만 다르다.

① 과거완료 (had+과거분사)의 용법

가) 완료 : When we arrived, they had already eaten dinner.
(우리가 도착했을 때, 그들은 식사를 이미 끝마쳤었다.)

나) 결과 : I remembered that I had lost the watch.
(나는 내가 시계를 잃어버리고 없다는 것이 생각이 났었다.)

다) 경험 : I had never seen him until then.
(나는 그때까지 그를 만나지 못했었다.)

라) 계속 : They had lived there for five years then.
(그들은 그때 거기서 5년 동안 살아왔었다.)

② 미래완료(will/shall+have+과거분사)의 용법

가) 완료 : I will have finished it by tomorrow.
(나는 그것을 내일까지는 끝내겠다.)

나) 결과 : He will have arrived there before you start
(그는 네가 출발하기 전에 이미 거기에 도착해 있을 것이다.)

다) 경험 : If I go by air once again, I will have flown in an airplane five times.
(내가 다시 비행기로 간다면, 나는 비행기를 다섯 번 타보는 셈이 될 것이다.)

라) 계속 : He'll have been in America for five years next year.
(내년이면 그는 미국에 5년 동안 살아온 셈이 된다.)

③ 과거완료진행 : had been ~ing

용법 : 과거의 어느 시점까지의 동작의 계속을 강조

I had been studying English for two hours when he came.
(그가 왔을 때 나는 영어를 두 시간 동안 공부하고 있었다.)

④ 미래완료진행 : will/shall+have been ~ing

용법 : 미래의 어느 시점까지의 계속될 동작을 강조

It will have been raining for ten days tomorrow.
(내일이면 비가 10일 동안 계속 온 셈이 된다.)

⑤ **대과거** : 과거 완료는 두 개의 과거 사실 중 먼저 일어난 것을 가리킬 때가 있다. 이를 대과거라 한다.

She wore the new dress which she had bought the day before.
(그녀는 그 전 날 산 새 옷을 입고 있었다.)

UNIT 12 부정사 (Infinitives)

01 부정사의 종류와 용법

1. 원형부정사

주어의 인칭 · 수 · 시제에 관계없이 항상 원형동사로 쓰이는 것을 원형부정사라 한다.

① 용법

가) 조동사 다음

I can swim. (나는 수영할 수 있다.)
You must come. (너는 와야만 한다.)
He didn't go there. (그는 거기에 가지 않았다.)

나) 「지각동사+목적어」다음 : see(보다), hear(듣다), feel(느끼다), watch(주시하다), listen to(경청하다) 등 다음.

I heard him sing. (우리는 그가 노래하는 것을 들었다.)

다) 「사역동사+목적어」다음 : let(허락하다), make(~하게 하다), have(~하게 하다) 등 다음.

Let me know address. (너의 주소 좀 알려다오.)

라) 원형부정사의 관용적 용법 : had better(~하는 것이 좋다),

cannot but(~하지 않을 수 없다), do nothing but(~만하다.), would rather(차라리 ~하다) 다음에 원형부정사.

You had better go at once. (너는 곧 가는 것이 좋다.)
I cannot but cry. (나는 울지 않을 수 없다.)
She did nothing but cry. (그녀는 울기만 했다.)
I would rather die than consent.
(동의하느니 차라리 죽어버리겠다.)

2. to부정사(Ⅰ)

「to+동사원형」을 to부정사라 하며, 문장에서 명사 · 형용사 · 부사적 역할을 한다.

① 명사적 용법

가) 주어

To ski is fun.
(스키 타는 것은 재미있다.)
To talk is easier than to act

나) 목적어

I want to ski (나는 스키 타기를 원한다. - 스키 타고 싶다.)

다) 보어

My wish is to ski
(내 소망은 스키 타는 것이다.) <주격보어>

I know him to be an honest boy.
(나는 그가 정직하다는 것을 안다.) <목적격보어>

② 형용사적 용법

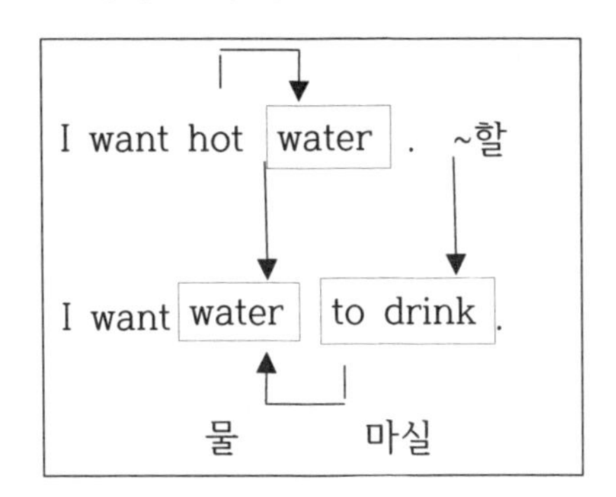

형용사가 명사를 수식할 때는 hot water처럼 앞에 오지만, 부정사는 명사 바로 다음에 와서, 그 명사를 수식한다.

3. to부정사(Ⅱ)

to부정사가 문장의 aos 뒤에 와서, 부사처럼 동사 · 형용사, 또는 문장 전체를 수식하는 경우가 있다.

① 부사적 용법

가) 목적을 표현 : 동사를 수식하는 경우

We eat to live. (우리는 살기 위해서 먹는다.)

동사수식

나) 결과를 표현 : 문장 전체를 수식해서 그 결과를 나타냄.

He lived to be ninety. (그는 90세까지 살았다.)

문장 전체를 수식

다) 원인을 표현 : 감정을 나타내는 형용사 다음에 부정사가 올 때.

I am glad to see you. (너를 만나서 기쁘다.)

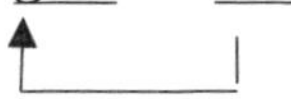

라) 이유를 표현 : 판단을 나타내는 문장의 끝에 올 때.

He is crazy to buy it. (그것을 사다니 그는 미쳤어.)

마) 조건을 표현 : 문장의 맨 앞에 올 때. 이를 독립부정사라고도 한다.

To tell the truth, I don't believe it.
(사실을 말할 것 같으면, 나는 그것을 믿지 않는다.)

to be frank (솔직히 말해서),
so to speak (말하자면),
to say nothing of ~ (~을 그만두고라도),
to do one justice (공평히 말해서),
to make matters worse (설상가상으로)

4. 부정사의 의미상의 주어 · 시제

부정사는 명사 · 형용사 · 부사의 역할을 함과 동시에 동사의 기능도 가지고 있으므로 주어를 가질 수 있다. 이를 부정사의 의미상의 주어라 한다.

① for+목적격

It is easy. + We swim.
⇩ for+목적격 ⇩ ⇩ 부정사화
It is easy for us to swim.
(우리가 수영하기는 쉽다.)

② **for+목적격의 생략**

가) 문장의 주어와 같은 경우

I have nothing for me to eat.

I have nothing to eat.(나는 먹을 것이 없다.)

We eat so that we may live.

We eat so as for us to live.

나) 문장의 목적어가 의미상의 주어와 동일한 경우 : tell, ask, want, order, expect, like 다음.

I want to swim. (나는 (내가) 수영하기를 원한다.)

I want you to swim. (나는 네가 수영하기를 원한다.)

목적어= to swim의 의미상의 주어

다) 의미상의 주어가 일반적인 사람인 경우

It is not good to tell a lie.

((누구나) 거짓말하는 것은 나쁘다.)

③ **of+목적격** : kind, good(착한), foolish, wise 등의 성질을 나타내는 형용사 다음에 부정사가 올 때.

It is very kind.+ you say so.

It is very kind of you to say so.

(네가 그렇게 말하는 것을 보니, 너는 친절하구나.)

④ **부정사의 시제**

가) 단순형 부정사: 단순형 부정사의 시제는 술어동사의 시제와 일치한다.

He seems to be rich. (그는 부자인 것 같다.)

나) 완료형 부정사 : 술어동사보다 하나 앞 선 시제를 나타낸다.

He seems to have been rich.

(그는 과거에 부자였던 것 같다.)

UNIT 13 동명사 (Gerund)

1. 동명사의 특성과 용법

이해자료 동명사는 동사의 특성을 다 가진 채 명사의 역할을 한다.

① 특성

가) 동사의 특성을 다 가진다. 자체의 주어 · 목적어 · 보어를 가지며, 부사로 수식받는다.

부사가 수식(잘 하기)

Speaking English well is not easy. (영어를 잘 하기란 쉽지가 않다.)

목적어(영어를 하기)

나) 명사의 역할을 한다.

I like apples. (나는 사과를 좋아한다.)-(명사)

I like skating. (나는 스케이트를 타기를 좋아한다.)-(동명사)
(동사의 뜻을 가지는 명사)

② 용법 : 문장에서 명사가 하는 모든 역할을 다 한다.

가) 주어 : Cooking is easy.(요리 하기는 쉽다.)

나) 목적어 : I like cooking. (나는 요리하기를 좋아한다.)
I'm fond of cooking. (나는 요리하기를 좋아한다.)

다) 보어 : My hobby is cooking.(나의 취미는 요리하기이다.)

③ 형태

가) 단순형 : 원형동사+ing <술어동사의 시제와 일치>

I gave up helping him. (나는 그를 돕는 것을 포기했다.)

I remember meeting him (그를 전에 만났던 기억이 있다.)

cf. I must remember to meet him.

(그를 만나야 한다는 것을 잊어서는 안 된다.)

나) 완료형: having+과거분사 <술어동사보다 하나 앞선 시제>

I regretted having met her.

(나는 그녀를 만났던 것을 후회했다.)

다) 수동형 : being+과거분사 <수동을 뜻함>

I don't like being helped by others.

(나는 남에게서 도움 받는 것을 싫어한다.)

2. 동명사의 의미상의 주어 관용적 표현

이해자료 동명사도 부정사처럼 동사의 특성을 가지고 있으므로 의미상의 주어를 가질 수 있다.

① 동명사의 의미상의 주어

가) 명사 · 대명사의 소유격

I don't like it. you come late to school. <문장결합>

소유격 ⇩ ⇩ 동명사화

I don't like your coming late to school. <동명사화>

(나는 네가 학교에 지각하는 것이 싫다.)

동명사의 의미상의 주어는 소유격이다.

나) 목적격 : 회화에서는 목적격을 더 많이 쓴다.

I don't like you coming late to school.
(나는 네가 학교에 지각하는 것이 싫다.)

I can't excuse john being impolite.
(나는 존이 무례한 것을 용서할 수 없다.)

John coming home late made me angry. (O)
Him coming home late made me angry. (X)
His coming home late made me angry. (O)

다) 의미상의 주어의 생략

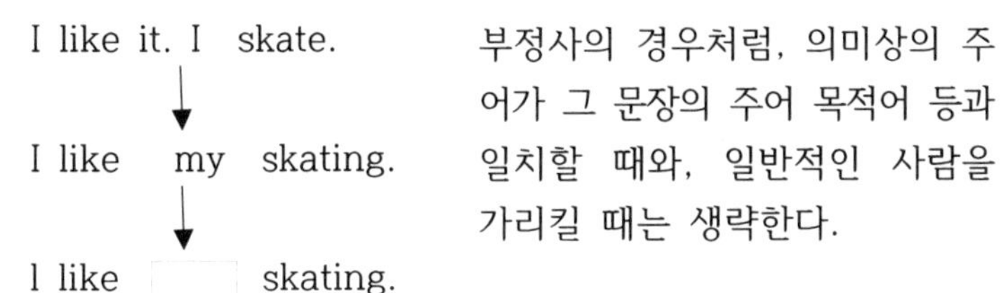

부정사의 경우처럼, 의미상의 주어가 그 문장의 주어 목적어 등과 일치할 때와, 일반적인 사람을 가리킬 때는 생략한다.

I scolded him for coming late.
(나는 그가 지각을 하여 나무래 주었다.)

Seeing is believing.
(백문이 불여일견이다.) <일반적인 사람>

② 동명사의 관용적 표현

가) cannot help ~ ing = cannot but + 원형부정사(~하지 않을 수 없다)

I cannot help admiring you.
(나는 너를 칭찬하지 않을 수 없다.)

나) (up)on+ ~ing=as soon as~ (~ 하자마자)

As soon as he heard the news, he turned pale.
→ Upon hearing the news, he turned pale.
(그 소식을 듣자마자, 그는 안색이 창백해졌다.)

다) it is no use ~ ing (~ 하는 것은 소용이 없다.)

It is no use crying over spilt milk.
(엎질러진 우유 때문에 울어봐야 소용이 없다.)

라) feel like~ing (~ 하고 싶은 기분이다)

I feel like crying. (울고 싶은 심정이다.)

마) worth ~ ing (~ 할 가치가 있다)

The book is worth reading.(그 책은 읽을 가치가 있다.)

3. 동명사와 부정사

이해자료 동명사는 부정사가 명사로 쓰일 때와 비슷하게 쓰이므로 비슷한 점도 많지만, 차이점도 있다.

① **비슷한 점** : 동명사가 주어 보어로 쓰일 때는 대체로 바꾸어 쓸 수 있다.

To see is to believe.
= Seeing is believing.(백문이 불여일견이다.)

② **차이점**

가) 목적어로 동명사만 올 수 있는 경우

1) 전치사의 목적어

I am fond of skating. (O)

I am fond of to skate. (X)

2) enjoy, finish, stop, mind 의 목적어

I enjoyed to read. (X)

I enjoyed reading. (O)

나) 목적어로 부정사 동명사가 올 수 있는 경우

1) begin, like, love, start, forget, remember 등의 목적어

I like to read.

I like reading.

다) 목적어로 부정사만 오는 경우

1) hope (희망하다), wish (바라다), expect (기대하다)
decide (결심하다), promise (약속하다) 등

I decided to read. (O)

I decided reading. (X)

I wish to come. (O)

I wish coming. (X)

UNIT 14 분사 (Participles)

01 분사의 종류

1. 현재분사

현재분사는 형용사처럼 수식어로 쓰이면서, 능동적의미와 진행형의 뜻을 가진다.

① 형태

원형동사+~ing 동명사와 형태는 같다.

② 용법

가) 「조동사+현재분사」로 술어동사를 이루는 경우

be+현재분사=진행형

나) 형용사 역할을 하는 경우

1) 명사를 직접 수식하는 경우 : 진행의 뜻을 갖는 형용사가 됨.

a sleeping baby

= a baby who is sleeping (잠자고 있는 아기)

<진행형>

a burning house

= a house which is burning (불타고 있는 집)

2) 보어로 쓰여서 명사를 간접적으로 수식하는 경우

- 주격보어 : 불완전자동서 (stand, lie(누워있다), come, keep) 다음에 올 때.

The baby lay sleeping in his bed.
(그 아기는 침대에 누워 자고 있었다.)

Tom kept crying all day.
(탐은 하루 종일 계속 울고 있었다.)

- 목적보어 : 지각동사 · 사역동사의 목적보어로서.

I saw him singing.
(나는 그가 노래하고 있는 것을 보았다.)

I had him doing his homework.
(나는 그가 숙제를 하고 있도록 했다.)

2. 과거분사

과거분사는 현재분사처럼 수식어로 쓰이면서 수동적 의미를 가진다.

① 형태

가) 규칙동사 : 원형동사 + -ed

나) 불규칙동사 : 불규칙동사표 참조할 것.

② 용법

가) 「조동사+과거분사」로 술어동사를 이루는 경우

1) have+과거분사→완료형

2) be+과거분사→수동태

나) 형용사로 쓰이는 경우

1) 명사를 직접 수식 : 과거분사가 명사를 수식할 때는 완료 수동의 뜻을 가진다.

a stolen camera = a camera which is stolen
(도둑맞은 카메라 - 수동)

a broken window = a window which is [has] broken
(깨어진 [져 버린] 창)

2) 보어로 쓰이는 경우

- 주격보어

He went satisfied. (그는 만족해져서 갔다.)

- 목적보어 : 지각동사 · 사역동사 · 기타 불완전타동사의 목적보어

I found the window broken.
(나는 그 창이 깨져 있는 것을 발견했다.)

She couldn't make herself understood.
(그녀는 자신의 말을 이해시키지 못했다.)

02 분사구문

1. 일반적 분사구문

「접속사+주어+동사」로 표시되는 문장을 간단히 「분사(~ing)」로 표현하는 문장을 분사구문이라 한다.

① 분사구문의 변형 과정

When Tom heard the news, he jumped for joy.

⇩ ↓ ↓

생략 Hearing the news, Tom jumped for joy.

(그 소식을 듣고, 탐은 기뻐서 깡충깡충 뛰었다.)

② 분사구문의 용법

가) 「때」를 나타내는 부사절 대신 (as, when, while 등)

While he was staying in London, he visited me.

→ staying in London, he visited me.

(런던에 머무는 동안, 그는 나를 찾아 왔었다.)

나) 「원인 · 이유」를 나타내는 부사절 대신 (as, because, since 등)

As he was sick, he stayed home.

→ Being sick, he stayed home.

(아팠기 때문에, 그는 집에 있었다.)

다) 「조건」을 나타내는 부사절 대신 (if)

If you turn to the left, you will see the building.

→ Turning to the left, you will see the building.

라) 「양보」를 나타내는 부사절 대신 (though)

Though he is poor, he is honest.

→ Being poor, he is honest.

(비록 가난하지만, 그는 정직하다.)

마) 「부대상황」을 나타내거나, 연속적으로 일어나는 것을 표시하는 대등절 대신 (and)

She sat on the bench, and she began to read a book.

→ sitting on the bench, she began to read a book.

(그는 의자에 앉아서 책을 읽기 시작했다.)

③ 수동형 분사구문 <(being)+과거분사>

수동형 분사구문은 being을 생략할 수 있다.

As he was seen by a policemen, he ran away.

→ Seen (= Being seen) by a policeman, he ran away.

(경찰에게 들키자, 그는 도망쳤다.)

④ 완료형 분사구문 <having+과거분사>

완료형 분사구문은 술어동사보다 하나 앞선 시제를 나타낸다.

As I had met him before, I recognized him soon.

→ Having met him before, I recognized him soon.

2. 주의해야 할 분사구문 · 현재분사와 동명사

분사로 표현되는 절의 주어가 주절의 주어와 다를 때는 의미상의 주어를 써야 한다. 현재분사는 동명사와 형태가 같으므로 주의를 해야 한다.

① 독립분사구문

두 절 사이의 주어가 다를 때 분사의 의미상의 주어를 써야 한다. 이때의 분사구문을 독립분사구문이라 하고, 분사의 의미상의 주어는 주격이다.

If it is fine tomorrow, we will go fishing.
↓생략 ↓그대로 ↓분사로
It being fine tomorrow, we will go fishing.
(내일 날씨가 좋으면, 우리는 낚시하러 가겠다.)

② 비인칭 독립분사구문

분사구문의 의미상의 주어가 일반 인칭일 때는 생략하고, 이를 비 인칭 독립분사구문이라 한다.

If we speak strictly, he is not a wise man.
↓생략 Strictly speaking, he is not a wise man.
(엄밀하게 말해서 그는 현명한 사람이 못된다.)

외워두어야 할 비인칭 독립분사구문
Judging from ~: ~으로 판단하건대
Speaking of~ : ~에 대해 말할 것 같으면
Considering~ ; ~을 고려하면

③ 현재분사와 동명사

가) 보어로 쓰일 때

동명사일 때 : 주어=보어
현재분사일 때 : 진행의 뜻으로 주어를 보충 설명
Seeing is believing.
(보는 것이 믿는 것이다. seeing = believing <동명사>)

He stood thinking. (그는 생각하면서 서 있었다.<현재분사>)

나) ~ing+명사일 때

1) stress로 구분

- 「명사+명사」일 때 stress는 앞의 명사에, 「형용사+명사」일 때 stress는 뒤의 명사에 있다.

a school garden (<명사+명사> 학교 정원)
a beautiful garden (<형용사+명사> 아름다운 정원)

- 「동명사+명사」일 때 stress는 동명사에, 「현재분사+명사」일 때 stress는 명사에 있다.

a dancing girl (<동명사+명사→합성명사>댄서)
a dancing girl (<현재분사+명사> 춤추는 여자)

2) 의미로 구분

- 동명사일 경우 → 「~하기 위한, ~에 쓰이는」의 뜻으로 목적 · 용도를 나타냄.

a sleeping car = a car for sleeping (침대차)

- 현재분사일 경우 → 「~하고 있는」의 뜻으로 진행의 뜻을 가짐.

a sleeping baby = a baby who is sleep ing
(잠자고 있는 아기)

<동명사>	<현재분사>
a dancing teacher (무용 선생)	a dancing girl (춤추는 여자)
a walking stick (지팡이)	a walking baby (걷고 있는 아기)

UNIT 15 수동태 (Passive Voice)

1. 능동태와 수동태

능동태 · 수동태의 차이는 의미상 차이라기보다는 강조점의 차이이다.

① 의미상 차이

A cat catches a mouse.
(고양이가 쥐를 잡는다.)

A mouse is caught by a cat
(쥐가 고양이한테 잡힌다.)

능동태는 행위자에 중점을 두고 하는 말이고, 수동태는 행위를 당하는 대상에 중점을 둔 표현이다.

② 능동태 → 수동태로의 변형

능동태를 수동태로 바꾸는 순서

가) 목적어→주어로

나) 동사→be+과거분사로

다) 주어→by+목적격으로

③ by~의 생략

수동태 문장은 행위자보다는 그 행위를 당하는 자를 강조하는 표현이므로 능동태의 주어가 we, they, you, people 등의 일반적인 사람이거나, 행위자가 불분명할 때는 생략한다.

They speak English in America.
→ English is spoken is America.
<주어가 일반적인 사람>

His father was killed in the war.
(그의 아버지는 전사하셨다.)
<주어가 불분명 - 능동태는 불가능>

2. 수동태의 시제

① **기본시제** : 수동태의 시제는 be동사가 나타낸다.

가) 현재

Tom loves the dog.
→ The dog is loved by Tom.
(그 개는 탐에게 사랑받는다.)

나) 과거

Tom loved the dog.
→ The dog was loved by Tom.
(그 개는 참에게 사랑받았다.)

다) 미래

Tom will love the dog.
→ The dog will be loved by Tom.
(그 개는 참에게 사랑받을 것이다.)

② **완료시제** : have been + 과거분사로 표현한다.

가) 현재완료 : have [has] been+과거분사

Tom has written the letter.

→ The letter has been written by Tom.

나) 과거완료 : had been + 과거분사

Tom had written the letter.

→ The letter has been written by Tom.

다) 미래완료 : will [shall] have been+과거분사

Tom will have written the letter.

→ The letter will have been written by Tom.

③ **진행시제** : 「be+being+과거분사」로 표현한다.

가) 현재진행 : am[are, is] being+과거분사

Tom is writing the letter.

→ The letter is being written by Tom.

(그 편지는 지금 탐에 의해서 쓰여지고 있다.)

나) 과거진행 : was [were] being+과거분사

Tom was writing the letter.

→ The letter was being written by Tom.

④ **조동사가 있는 문장의 수동태** : 「조동사+be+과거분사」로 그 조동사를 그대로 쓴다.

You must do it. (네가 그것을 해야만 한다.)

→ It must be done by you. (그것은 너의 의해서 행해져야 한다.)

We can see stars at night.

→ Stars can be seen at night. (별은 밤에 볼 수가 있다.)

3. 동사의 종류에 따른 수동태의 변형

동사의 종류에 따라 수동태로 바꿀 때 주의해야 될 것들이 많다.

① **수여동사의 수동태** : 수여동사는 목적어가 둘이므로 수동태 문장도 두 가지로 변형이 가능하다.

가) 직접목적어를 주어로 한 수동태

Tom gave me a book.

A book was given (to) me by Tom.
(책이 탐으로부터 나에게 제공되었다.)

나) 간접목적어를 주어로 한 수동태

Tom gave me a book.

I was given a book by Tom.
(나는 책을 탐에게서 받았다.)

② **불완전타동사의 수동태** : 목적보어가 주격보어로 변하는 3형식 문장이 되고, 목적보어가 명사라 할지라도 수동태 문장의 주어가 될 수는 없다.

They elected him president.
→ He was elected president (by them). (O)
President was elected him (by them). (X)

③ **<자동사 + 전치사> 인 경우** : 자동사 + 전치사 = 타동사인 경우는 그 전체를 타동사로 보고 수동태로 바꾼다.

<능동> A car ran over the dog.

⇩

<수동> The dog was run over by a car. (그 개는 자동차에 치였다.)

④ **<타동사+목적어+전치사>인 경우** : 이 때는 전체를 하나의 동사처럼 생각하고 수동태로 바꾼다.

<능동> She took care of the child.

⇩

<수동> The child was taken care of by her.
(그 아이는 그녀가 보살펴 주었다.)

4. 문장의 종류에 따른 수동태의 변형

문장의 종류에 따라 수동태의 형태도 변한다.

① **부정문** : is not…, was not … 처럼 be다음에 not을 붙인다.

<능동> Tom didn't write it.

⇩ ⇩

<수동> It wan't written by Tom.
(그것은 Tom에 의해서 쓰여지지 않았다.)

② **의문문**

가) 의문사가 없는 경우: Is~, Was~처럼 be동사가 앞으로 간다.

<능동> Did you write it ? (네가 그것을 썼니?)

⇩ ⇩

<수동> Was it written by you ?
(그것은 네가 쓴 것이니?)

나) 의문사가 있는 경우 : 의문사는 항상 문장의 맨 앞에 온다.

<능동> Who wrote the book? (누가 이 책을 썼느냐?)
주어 목적어
<수동> Was the book written by whom?

<의문사 이동> By whom was the book written?

<능동> What did he do? (그는 무엇을 했니?)
목적어 주어
⇩
What was done by him ?

③ **명령문 : <Let+목적어+be+과거분사>로 표현한다.**

Do it at once. (그것을 즉시 하라.)
→ Let it be done at once.

Don't forget my advice. (내 충고를 잊지 말아라.)
→ Don't let my advice be forgotten.

④ **목적어가 절일 때** : 가주어 it을 쓰거나, 명사절의 주어를 문장의 주어로 하고, to부정사로 표현한다.

They say that he is honest. (그는 정직하다고 한다.)
→ It is said that he is honest.
→ He is said to be honest.

5. 특수한 수동태

수동태에서 by 이외의 전치사를 쓰는 것, 동사를 be 이외의 동사를 쓰는 것 등이 있다.

① by 이외의 전치사를 쓰는 경우

Everybody knows him.
→ He is known to everybody. (그는 누구에게나 알려져 있다.)

② be 이외의 동사를 쓰는 경우

가) get, become : 상태의 변화 · 동작을 강조

He is married.
(그는 기혼자이다.—상태)

He got married last week.
(그는 지난주에 결혼했다. - 상태의 변화, 동작)

나) lie, sit, stand, remain : 상태를 강조

He lay buried.
(그는 땅 속에 묻혀 있었다.)

③ 능동태가 수동의 뜻을 가지는 것 : 형식은 능동태, 뜻은 수동 인 것.

The book sells well. (그 책은 잘 팔린다.)
The book reads widely. (그 책은 널리 읽힌다.)
This car drives easily. (이 차는 운전하기가 쉽다.)
These shirts wash well. (이 셔츠는 세탁이 잘 된다.)

④ 능동으로 표현할 수 없는 경우

He was born in 1960. (그는 1960년에 태어났다.)
He was drowned in the river. (그는 강물에 빠져 죽었다.)
We were caught in a shower. (우리는 소나기를 만났다.)

⑤ **수동태가 불가능한 타동사** : have, contain (포함하다), resemble (닮다).

I have a dog.
→ A dog is had by me. (X)

⑥ **주의해야 할 수동태의 번역** : 우리말에서는 수동을 잘 쓰지 않기 때문에, 영어의 수동태를 우리말은 능동으로 표현해야 되는 것이 많다.

I was spoken to on the street.
(길을 가는데 누군가 나에게 말을 걸었다.)

He was taught English. (그는 영어를 배웠다.)

UNIT 16 조동사 (Auxiliaries)

01 시제를 나타내는 조동사

be, have, will, shall

시제를 나타내는 조동사에는 be, have, will, shall등이 있다.

① be

가) be+현재분사=진행시제

He is swimming now. (그는 지금 수영하고 있다.)
He was swimming. (그는 수영하고 있었다.)

나) be+과거분사=수동태

The book is written by Mr. Kim.
The book was written by Mr. Kim.

② have

가) have+과거분사=완료시제

I have just finished it. (나는 방금 그것을 끝냈다.)
I had finished it. (나는 이미 그것을 끝냈었다.)

③ will, shall

가) will, shall+원형부정사 : 미래시제

He will come tomorrow. (그는 내일 올 것이다.)
Shall I succeed in the exam? (내가 시험에 합격할까?)

나) 기타의 미래를 나타내는 조동사

1) be going to~ : 미래의 예정을 나타냄.
He is going to play tennis this afternoon.
(그는 오늘 오후에 테니스할 예정이다.)

2) be to ~ : will/shall보다 가능성이 희박한 미래를 나타냄.
He is to come tomorrow. (그는 내일 오기로 되어 있다.)

02 부정 · 의문을 표시하는 조동사 (do)

be, have 조동사가 없는 문장의 부정문 · 의문문에는 조동사 do를 쓴다.

① do의 형태

가) do : 주어가 3인칭 단수가 아닐 때의 현재시제일 때

나) does : 주어가 3인칭 단수이고, 현재시제일 때

다) did : 과거시제일 때

② do의 용법 : be, have 또는 다른 조동사가 없을 때 부정문 · 의문문을 만든다.

가) 의문문 { Do / Does / Did } +주어+원형동사…?

평서문 문장의 앞 You met him .
⇩ ⇩ ‖ ⇩원형 ‖ ⇩의문부호
의문문 Did you meet him ? (너는 그를 만났니?)

나) 부정문 : 주어+do [does, did] not+원형동사

긍정문 He studies.
⇩ ‖ ⇩동사의 앞 ⇩원형
부정문 He does not study. (그는 공부하지 않는다.)

③ do의 특별용법

가) 일반동사로 쓰이는 경우 : 「~을 하다」의 뜻으로 쓰임.

What did you do yesterday? (어제 무엇을 했니?)

I will do my best. (최선을 다 하겠습니다.)

나) 강조의 조동사 : 동사의 의미를 강조.

Do stop smoking. (제발 담배 좀 그만 피워라.)

She did come. (그녀는 정말 왔다니까.)

다) 도치문에서 : 강조하기 위해 부사가 앞에 나올 때, (부사+do+주어+원형동사…)의 순.

Never did I say such a thing.(절대로 그런 말은 안했어.)

라) 대동사 : 동일한 동사의 반복을 피하기 위해.

He knew English more than I did (=knew English).

(그는 내가 영어를 아는 것보다 더 많이 알고 있었다.)

03 상상 가정을 나타내는 조동사

1. can, could

이해자료 상상 가정을 나타내는 조동사는 하나의 사실을 나타내지는 않고, 가능성을 나타내며, 항상 뒤에 원형동사가 와야 되고, 부정문 의문문에 do가 필요 없으며, 3인칭 단수 현재에서도 -(e)s가 붙지 않는다.

① can, could 의 용법

가) 능력 가능성 (~할 수 있다. ~ 할 줄 안다.)

She can drive a car.
(그녀는 자동차를 운전할 줄 안다.)

You cannot move a mountain.
(너는 산을 움직일 수는 없다.)

나) 허가 (~해도 좋다) =may

can (=May) I come in? — Yes, you can. (그래 좋다)
(들어가도 좋습니까?) — No, you cannot.(아니,안된다)

다) 의혹 (~ 일 수가 있을까?) 강한추측(~ 일 리가 없다)

부정문 의문문에서
Can it be true?
(그게 사실일 수가 있을까? - 그럴 리가 없다.)

She cannot be so rich.
(그녀가 그렇게 부자일 리가 없다.)

라) can, could 의 특별용법

1) can you~?가 의뢰 부탁을 나타낼 때가 있다.
can you help me? (=Will you help me?)
(나를 좀 도와 주술 수 있니?)

2) could you ~ ?는 정중한 부탁 의뢰를 나타낼 수 있다.
could you show me the way to the station?
(=Would you~?)
(역으로 가는 길을 알려 주시겠습니까?)

2. may, might

이해자료 may, might는 허가 추측 소망 들을 나타낸다.

① may 의 용법

가) 허가 (~해도 좋다) : 부정 <may not>

May I swim here? (여기서 수영해도 좋습니까?)
Yes, you may. (그래, 좋다.)
No, you may not. (아니, 안 된다.)

나) 추측 「~일지도 모른다」 : 부정 <may not>, 과거 <may> have+과거분사

It may be true. (사실일지도 모른다.)
It may have been true. (사실이었을지도 모른다.)

다) 가능성 「~할 수도 있다.」

You may learn English by television.
(너는 TV로 영어를 배울 수도 있을 것이다.)

라) may, might의 특별용법

1) 소망 : 「~하기를」 - 기원문을 이끈다.

May you succeed! (네가 성공하기를!)

I hope you may arrive soon. (네가 곧 도착하기를 바란다.)

2) 목적 : 「~하기 위해」 - 과거형은 might

He works hard so that he may succeed.

(그는 성공하기 위해서 열심히 일한다.)

3) 양보 : 「~일지라도」

Whatever it may be, do it well.

(네가 하는 일이 어떤 것이든, 그것을 정성스럽게 하라.)

4) 당연: may well : 「~하는 것은 당연하다」

may as well : 「차라리 ~하는 것이 낫다」

You may well say so.

(네가 그렇게 말하는 것은 당연하다.)

You may as well begin at once.

(너는 즉시 시작하는 것이 나을 것이다.)

3. must

must는 강한 의무 · 필요 · 당연성 등을 나타낸다.

① must의 용법

가) 필요 · 의무 「~해야만 한다」

We must hurry. (우리는 서두르지 않으면 안 된다.)

Must I help you? (제가 당신을 도와야만 됩니까?)

Yes, you must. (그래야만 한다.)

No, you need not. (그럴 필요가 없다.)

나) 강한 추측「~임에 틀림없다」- 부정은 cannot

It must rain tomorrow. (내일 틀림없이 비가 올 것이다.)

She must be a movie star.
(그녀는 영화배우임에 틀림없다.)

cf. She cannot be a movie star.
(그녀가 영화배우일 리가 없다.)

4. ought to, used to

ought, used는 to부정사를 본동사로 갖는다는 점에서 다른 조동사와 차이가 있다.

① ought to

가) 특징

1) to부정사를 본동사 취급
He ought to walk. (그는 걸어야만 했다.)

2) 부정형은 ought not to ~ (축소형 oughtn't to)
ought he to go at once?
(그는 지금 당장 가야만 합니까?)
Yes, he ought. / No, he oughtn't
(그렇다) (아니, 가서는 안 된다.)

나) 용법

1) 의무「~해야 한다」<must보다 약한 의무>
We ought to help him. (우리는 그를 도와야 한다.)
You oughtn't to do such a thing.
(너는 그런 일을 해서는 안 된다.)

2) 추측 「~할 것이 틀림없다」 must보다 약한 추측
He ought to pass the exam. for he works hard.
(그는 시험에 틀림없이 합격할 것이다. 그는 공부를 열심히 하고 있으니 말이야.)

② **used to**

가) 특징

1) 발음 : used to [ju:stə]

2) 부정형 · 의문형 : 회화에서는 일반동사처럼 did를 쓰고, 문어체에서는 쓰지 않는다.
She did not use to go to church.
= She used not to go to church.
(그녀는 옛날에는 교회에 다니지 않았다.)

Did she use to do to church?
= Used she to go to church?

나) 용법

1) 현재는 하지 않는 과거의 습과
He used to come here.
(그는 옛날에는 여기 오곤 했었다(지금은 오지 않음).)

2) 현재와 대비되는 과거의 상태
He used to be a cheerful man.
(그는 옛날에는 쾌활한 사람이었다 (지금은 그렇지 않음).)

5. will, would의 특별용법

will, would가 시제를 나타내지 않고 특수한 뜻을 가진 조동사로 쓰일 때도 있다.

① will의 특별 용법

가) 습성 · 천성 「~하게 마련이다」

Accidents will happen.
(사고는 일어나게 마련이다.)

나) 강한 의지 · 고집 「~하게 들다」

He will cry. (그 녀석은 울려고만 든다.)
The door will not open. (문이 도무지 열리지 않는다.)

다) 습관 「~하곤 한다」

He will wait for her for hours.
(그는 그녀를 수 시간씩 기다리곤 한다.)

라) 가벼운 명령

You will leave here at once. (여기를 바로 나가시오.)

② would의 특별용법

가) 과거의 강한 의지 · 고집

The door would not open.
(그 문은 도무지 열리지 않았다.)

나) 과거의 습관 「~하곤 했다」

I would often take a walk when I was young.
(나는 젊었을 때 자주 산보를 하곤 했다.)

다) 소망 would=wish to 「~하고 싶다」

Do as you would.
= Do as you wish to. (네가 하고 싶은 대로 해라.)

라) will의 정중한 표현

Would you open the door?
(문을 좀 열어 주시겠습니까?)

마) would like=want

I would like a cup of tea.
= I want a cup of tea.
(차 한 잔 마시고 싶다.)

I would like to play tennis.
= I want to play tennis.

6. shall, should의 특별용법

shall, should도 will, would처럼 특수한 뜻을 가진 조동사로 쓰이는 수가 있다.

① shall의 용법

가) 법률 · 규칙 · 예언에서

You shall not cross the street through red light.
(빨간 불이 켜졌을 때 길을 건너서는 안 된다.)

Then the Son of God shall come again.
(그러면, 인자는 다시 오게 되리라. - 성경)

나) 주어의 강한 결의

I shall never for get your kindness.
(나는 당신의 친절을 절대로 잊지 않을 것입니다.)

② should의 용법

가) 의무 <must보다 약하고, ought to와 비슷함>

You should come early.
(너는 일찍 와야만 한다.)

You should do it at once.
= You ought to do it at once.
(너는 그것을 즉시 해야 한다.)

나) 당연 · 의외 · 유감 등의 감정을 나타낼 때.
<It is ~ that… should>

It is natural that she should say so.
(그녀가 그렇게 말하는 것은 당연하다.)

It is strange that he should not come.
(그가 오지 않다니 이상하다.)

I sorry that you should leave here.
(당신이 여기를 떠나게 되어 유감스럽다.)

다) should like=want

I should like to start early.
= I want to start early.
(나는 일찍 출발하고 싶다.)

UNIT 17 가정법 (Subjunctive Mood)

01 법의 종류 (직설법 · 명령법)

화자가 말하는 내용이 사실의 표현이냐, 명령 또는 요구냐, 상상]
불과한 것이냐에 따라 동시의 형태가 각각 달라진다.

① 직설법

직설법은 사실을 사실대로 표현하는 문장이며, 주어의 수 · 사건의 발생 시간에 따른 시제의 변화가 있다.

You cannot speak good English. (너는 영어를 잘하지 못한다.)
He is kind. (그는 친절하다.)

② 명령법

명령법은 화자가 상대방에게 명령 · 요구 등을 나타낼 때 쓰며, 주어(You)는 생략하고, 동사의 원형으로 시작한다.

Come in! (들어오너라.)　　Be silent. (조용히 해.)

가) 직설법을 명령법으로 바꾸는 방법

<직설법>	You	can	a	good boy.
	⇩	⇩	⇩원형	‖
<명령법>	생략	Be	a	good boy.

주어(You)를 생략하고 동사를 원형으로 표현한다.

나) 부정명령문 : Don't, never를 앞에 붙인다.

Don't forget it. (그것을 잊지마라.)

Never mind. (염려마라.)

다) 간접명령: 1인칭 3인칭에 대한 간접명령은 Let으로 시작.

<직설법>		I	go.		He	does	it.
		⇩목적격	⇩원형		⇩목적격	⇩원형	
<명령법>	Let	me	go.	Let	him	do	it.
	<나를 가게 해주시오.>			<그가 그것을 하게 해주시오>			

라) 명령문+and, or

1) <명령문+and~> : ~해라, 그러면 ~

Go at once, and you will be in time.

(즉시 가라, 그러면 시간에 늦지 않을 것이다.)

2) <명령문+or~> : ~해라, 그렇지 않으면~

Go at once, or you will be late.

(즉시 가라, 그렇지 않으면 지각할 것이다.)

02 가정법

1. 가정법 현재

가정법현재는 동사를 항상 원형으로 쓴다.

① **형태** : 주절의 시제가 무엇이든 항상 원형동사이다.

② **용법**

가) 현재, 또는 미래의 불확실한 상상

If it be fine tomorrow, we will go fishing.
(내일 날씨가 좋다면, 낚시질을 가겠다.)

Through everyone hate you, I will not.
(모든 사람이 너를 미워한다해도 나는 그렇지 않을 것이다.)

나) 제안(suggest), 요구(ask, demand), 희망(desire)의 목적어가 되는 명사절에서

I desired that he pay me the money back.
(나는 그가 그 돈을 갚아 주기를 바랬다.)

다) 제안, 요구, 희망, 놀람, 의외 등의 명사·형용사가 있는 명사절에서

It is necessary that he know it.
(그가 그것을 알 필요가 있다.)

It is surprising that he come early.
(그가 일찍 오다니 놀랍다.)

라) 기원문에서

Long live the king! (국왕 폐하 만세!)

God be with you! (하나님이 너와 함께 계시길!)

2. 가정법과거

가정법과거는 항상 동사의 과거형으로 표현하며, 현재사실과 반대되는 상상을 나타낸다.

① 형태

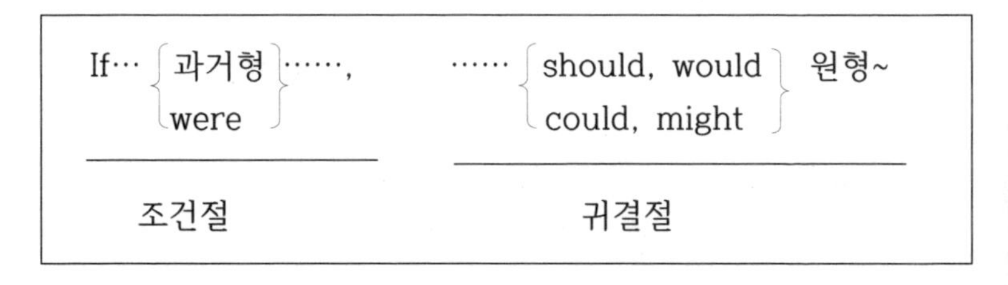

② 용법 : 현재 사실과 반대되는 상상을 나타냄.

If I were young, I would go with you.

(= As I am not young, I don't go with you.)

<직설법> As he is not tired he can do it.

<가정법> If he were tired, he could not do it.

(그가 피곤하다면, 그것을 할 수 없을 텐데.)

③ 가정법 과거의 관용적 표현

가) I wish ~「~라면 좋겠는데」: 현재 사실과 반대되는 소망을 나타냄.

<직설법> I am sorry I am poor.(나는 가난해서 유감이다.)

<가정법> I wish I were rich.(내가 부자라면 좋을텐데.)

나) as if ~, as though ~「마치 ~이기라도 한 것처럼」

He says as if he were rich.
(그는 마치 자기가 부자인 것처럼 말한다.)

He talks as if he knew everything.
(그는 마치 자기가 모든 것을 다 아는 것처럼 말한다.)

다) if it were not for ~ (~아니라면, ~ 이 없다면)

If it were not for the sun, we would die.
(태양이 없다면 우리는 죽을 것이다.)

If it were not for your help, I couldn't do it.
(네 도움이 없으면, 나는 그것을 할 수가 없을 것이다.)

3. 가정법 과거완료

이해자료 가정법 과거완료는 동사의 과거완료형으로 표현하며, 과거사실과 반대되는 상상을 나타낸다.

① 형태

If…had + 과거분사 …,… [should, would / could, might] +have+과거분사

② 용법 : 과거사실과 반대되는 상상을 나타냄.

If you had studied hard, you could have succeeded.
(만일 네가 공부를 열심히 했더라면, 성공했을 것이다.)

If I had enough time, I would have done it.
(만일 나에게 충분한 시간이 있었더라면, 나는 그것을 했을 것이다.)

<직설법> As I didn't have enough time, I didn't do it
⇩ ‖ ⇩ not을 빼고 과거완료로 ‖ ‖ not 빼고 조동사 과거형 ⇩ +have+과거분사
<가정법> If I had enough time, I would have done it.

③ 가정법 과거완료의 관용적 표현

가) I wish~ (~했었더라면 좋았을 것을)

과거사실과 반대되는 소망을 나타냄.

I wish I had studied hard.
= I am sorry I didn't study hard.
(공부 좀 열심히 할 것을!)

I wish I had been there.
= I am sorry I wasn't there.
(거기에 참석했었더라면, 얼마나 좋았을까!)

나) as if ~ as though~ (마치 ~ 이었던 것처럼)

He talks as if he gad been to america.
(그는 마치 미국에 갔다 온 것처럼 말한다.)

He looks as if he had been sick.
(그는 마치 아팠던 것처럼 보인다.)

다) if it had not been for~ (~이 아니었더라면)

If is had not been for your help, I would not have finished it.

= As there was your help, I finished it.

(네 도움이 없었더라면, 나는 그것을 끝내지 못했을 것이다.)

4. 가정법 미래, if 대용어구

이해자료 가정법미래는 조건 절에 should가 있고, 미래의 거의 (있을 법 하지도 않는 일) 의 상상을 나타낸다.

① if should + 원형, | would, will / should, shall | **+ 원형**

② 용법

가) 미래의 거의 불가능한 일의 상상

If you should meet him, tell him to wait.

(<그럴 리 없겠지만> 만일 그를 만나거든, 기다리라고 해라.)

If I should fail again, I would try again.

(<그럴 리 없겠지만> 또 실패한다면, 나는 다시 한 번 더 해 보겠다.)

③ If ~ were to ~ = if ~ should~

(be+to 부정사)가 will, shall 과 같은 뜻으로 쓰일 수 있기 때문에, if ~ were to ~도 If ~ Should~ 와 같이 가정법 미래를 나타낼 수 있다.

If I were to meet him, I will tell him to wait.
(만일 일이라도 내가 그를 만나면, 그에게 기다리라고 말하겠다.)

If the sun were to rise in the west, I would not break my words.
(비록 태양이 서쪽에서 뜬다 해도, 내 약속은 지키겠다.)

④ if 대신 쓸 수 있는 말

가) in case, so long as, suppose

I will come in case (=if) he should invite me.
(그가 나를 초대해주기만 하면 나는 가겠다.)

Suppose (=If) your father saw you,
what would you say?
(너의 아버지가 너를 본다면, 무어라고 말할래?)

나) unless=if ~ not (만일 ~ 하지 않는다면)

I'll come unless it rain tomorrow.
=I'll come if it don't rain tomorrow.
(내일 비가 오지 않으면, 나는 가겠다.)

PART 2

Basic Military Terms

PART 2

Basic Military Terms

UNIT 1 Military Unit

units (단위부대)	
Army	(군) (육군)
corps	(군단)
Division	(사단)
Brigade	(여단)
Regiment	(연대)
Battalion	(대대)
Company	(중대)
Platoon	(소대)
Section	(반)
Squad	(분대)

UNIT 2 Branches

infantry	(보병)
Armor	(기갑)
Engineer	(공병)
Communications	(통신)
Chemical	(화학)
Medical	(의무)
Military police	(헌병)
Military intelligence	(정보)
Field artillery	(야전포병)
Air defense artillery	(방공포병)
Maintenance	(정비)
Transportation	(수송)
Special forces	(특전사)

UNIT 3 Ranks

❖ 병(Enlisted man)

Sergeant (SGT)	병장
Corporal (CPL)	상병
Private First Class (PFC)	일병
Private (PVT)	이병

❖ 부사관(Noncommissioned officer)

Sergeant Major (SGM)	원사
Master Sergeant (MSG)	상사
Sergeant First Class (SFC)	중사
Staff Sergeant (SSG)	하사

❖ 위관장교(Company grade officer)

Captain (CPT)	대위
First Lieutenant (1LT)	중위
Second Lieutenant (2LT)	소위
Warrant Officer (WO)	준위

❖ 영관장교 및 장군(Field grade and general officer)

General (GEN)	대장
Lieutenant General (LG)	중장
Major General (MG)	소장
Brigadier General (BG)	준장
Colonel (COL)	대령
Lieutenant colonel (LTC)	중령
Major (MAJ)	소령

UNIT 4 Positions 직책

Chief of Staff	참모총장
Army Commanding General	사령관
Corps Commanding General	군단장
Division Commanding General	사단장
Brigade Commander	여단장
Regiment Commander	연대장
Battalion Commandeer	대대장
Command Sergeant Major	주임원사
Company Commander	중대장
First Sergeant	행정보급관
Platoon Leader	소대장
Platoon Sergeant	부소대장
Squad Leader	분대장

UNIT 5 Tactics Words 전술용어

대대전술훈련평가	ATT: Army Training Test
연대전술훈련평가	RCT: Regiment Combat Test
야외기동훈련	FTX: Field Training Exercise
임무형 보호태세	MOPP: Mission Oriented Protective Posture
지휘, 통제, 통신, 컴퓨터, 정보	C4I: Commend, control Communications, Computer, Intelligence
임무, 적 상황, 지형/기상,가용병력,가용시간,민간요소	METT-TC: Mission, Enemy Information Terrain/weather, Troops&Support available Time available Civil Consideration
완전군장	Full Combat Gear
피아식별	Identification Friend or Foe
합동작전	Joint Operations
근접항공지원	Close Air Support
전쟁준비물자	War Readiness Material
전투근무지원	Combat Service Support
설영대	Quartering Party
증강	Reinforcement
역습	Counter Attack

Objective 목 표	Battle Order 전 투 명 령
Fire support position 사 격 지 원 진 지	Coordination Point 협 조 점
Attack position 돌 격 진 지	Terrain Intelligence 지 형 정 보
Attack position 공 격 대 기 지 점	Engagement 교 전
Assembly area 집 결 지	Operation Deception 기 만 작 전
Concealment/Cover 은폐/엄폐	Unit Organization 부 대 편 성
Connecting Trench 교 통 호	Fire & Maneuver 사격과 기동
Camouflage 위 장	Clearing the Field of Fire 사 계 청 소
Avenue of Approach 접 근 로	Final Protective Fire 최후 방어 사격
Attack helicopter 공 격 용 헬 기	Dispersion 소 산
Penetration 돌 파	Psychological Operation 심 리 작 전
Assault Position 돌 격 진 지	Ammunition 탄 약 할 당
Defensive Position 방 어 진 지	Release Point 분 진 점

UNIT 6 Offensive Operations 공격 작전

Offensive Operations	공격작전
Deep Operations	종심작전
Close Operations	근접작전
Flank Security	측방방호
Line of Departure(LD)	공격개시선
Line of Contact(LC)	접촉선
Assembly Area (AA)	집결지
Rear Operations	후방작전
Disposition	배치
Movement to contact	집적 이동
Infiltration	침투
Raid	습격
Scheme of Maneuver	기동계획
Hostile territory	적 지역

UNIT 7 Defensive Operations 방어작전

Guard Post	경계초소(감시초소)
General Outpost (GOP)	일반 전초
Combat Outpost (COP)	전투 전초
Forward Edge of Battle Area (FEBA)	전투지역 전단
Security Area	경계지역
Main Battle Area	주방어지역
Reserve Area	예비대지역
Assembly Area	집결지
Rehearsal	예행연습
Retrograde operations	후퇴작전
Fields of fire	사계
Likely avenues of approach	예상 접근로
Illumination	조명
Lifting of fire	사격 연신
Shifting of fire	사격 전환
Reverse slope	반사면, 후사면

UNIT 8 Rifle Training 소총훈련

Small of stock	총목
Carrying handle	운반 손잡이
Ejection port	방출구
Front sight	가늠쇠
Barrel	총열
Bayonet	대검
Bayonet stud	대검 꽂이
Pistol Grip	총 손잡이
Magazine	탄창(탄알집)
Magazine Release Button	탄창제거버튼
Sling	멜빵
Firing range	소총 사격장
field range	야외 사격장
firing line	사선(射線)
firing lane	사로(射路)
Control tower	사격 통제탑
Taget	표적
Static target: fixed target	고정표적

Static target: moving target	이동 표적
Ammunition detail	탄약병(彈藥兵)
Target detail	감적수(監的)
zero-in	영점조준하다
Fire discipline	사격군기
Fire order	사격명령
Muzzle	총구
Rear sight	가늠자
Charging handle	장전손잡이
Butt	개머리판
Magazine well	탄창꽂이
bolt catch	노리쇠 잡이
Trigger	방아쇠
Selector lever	기능선택스위치
Fir command!	사격구령
Close chamber!	노리쇠 전진!
Insert magazine!	탄알집 끼어!
Fires, assume the prone position!	사수, 엎드려 쏴!
Lock, one round!	자물쇠 잠그고 탄알일발장전
Commence fire!	사격 개시
Commence firing when ready!	준비된 사수로부터 사격개시!

Cease fire!	사격 그만!
Bore clear!	총구 이상무
Clear on the left!	좌선 사격 끝
Firers move down range!	사수 표적 앞으로!
Lock your weapon!	자물쇠 잠궈!
Single shot	단발사격
Misfire	불발
Accidental discharge	오발

UNIT 9 Squad Drill 분대훈련

Lube formation	횡대대형
Column formation	종대대형
Battalion in line;	대대횡대
Battalion in column;	대대종대
Line of fours	4열 횡대
Column of fours	4열 종대
Rank	오
File	열
Interval	간격
Distance	거리
Alignment	정렬
Parade rest!	열중 쉬어!
At ease!	쉬어!
Count off!	번호!
Stand fast!	정위치!
Port arms!	앞에 총!
Present, arms!	받들어 총!
Order, arms!	세워 총!

Right shoulder arms!	우로 어깨 총!
Sling, arms!	어깨 걸어 총!
Adjust arms!	멜빵조여!
Inspection arms!	검사 총!
Stack, arms! ; Plie, arms!	걸어 총!
Take, arms! : Unpile, arms!	풀어 총!

UNIT 10 Map Reading 독도법

AO S(area of operations)	작전지역
Terrain evaluation	지역평가
Estimate of terrain	지형판단
Enemy occupied area	적점령 지역
Key terrain ; ground of vital importance	중요지형
Unfamiliar ground	생소한 지형
Terrain model	지형모형
Five military aspects of terrain	지형평가 5개 요소
Observation and field of fire	관측 및 사게
Dead zone	사각지대
Defilade	차폐
Visual observation	육안 관측
Sky line	공제선
Seizing and securing	탈취 및 확보
Avenue of approach	접근로
Compartment of terrain	지형격실
Cross compartment	횡격실
Corridor	종격실

Salient	돌출부
Weather analysis	기상분석
Climatic information	기후첩보
Weather information	기상첩보
Light data	광명제원
BMNT (beginning of morning nautical twilight)	해상 박명초
BMCT (beginning of morning civil twilight)	민간 박명초
EENT (end of evening nautical twilight)	해상 박명종

UNIT 11 Camp Activity 병영활동

Cheek roll call	인원점호
Tattoo roll call	일석점호
Night watch ; vigilant sentry	불침번
Duty hours	일과시간
Duty officer : officer of the day	당직사관
Barracks leader	내부반장
Military ceremony	군대예식
Review. inspection of troops	열병, 사열
Reviewing ground	연병장
Reviewing stand	사열대
Reviewing officer	사열관
Honor guard : ceremonial guard	의장대
Salute battery	예포대
March in review : pass in review	분열
Hand salute	거수경례
cannon salute	예포경례
Band salute	군악경례
Rifle salute	집총경례

UNIT 12 Duty & Order 근무/명령

Duty	근무
Duty officer	당직사관(사령)
Duty sergeant	당직하사
off duty	비번
on duty	근무 중
Officer of the day	일직사관(사령)
Guard duty	위병근무
Guard	위병
Guard detail	위병 근무병
Officer of the guard	위병장교
Sergeant of the guard	위병조장
Guard house	위병소
Guard mount	위병교대
Corporal of the guard	위병조장
Sentry	보초
Sentinel	초병
Sentry post	초소
Food service	급양 근무
Staff duty	일직근무
Staff duty officer	일직장교

Post	초소
Relief	교대
Relieve	교대하다, 해체하다
Sentry-box	간이초소
Sentry-go	보초 경계구역
Sentry's orders	보초수칙
Special guard orders	보초 특별수칙
General guard orders	보초 일반수칙
Retreat formation	하기식 집합
Review	열병
Parade	분열
Retreat	하기식
Ceremony	의식
Very Important Person(VIP)	귀빈
Take over	인수하다
Give the alarm	경보를 발하다
General order	일반명령
Special order	특별명령
Combat order	전투명령
Operations order	작전명령
Attack order	공격명령
Defense order	방어명령

UNIT 13 Unit & Quarter inspection 부대 및 내무검열

Rules and regulations	제반 규칙
Military justice patrol	군기 순찰
Dress inspection	복장 검사
Surprise visit of inspection	불시검열
Unit inspection	부대검열
Post inspection	사후검열
Sense of responsibility	책임감
Joint responsibility	연대 책임
Lack of discipline	군기 이완
Court-marshal	군법 회의
Law officer	법무관
Disciplinary committee	징계 위원회
Lockup; detention barrack	영창
Breach of discipline	군기 위반
False personation	신분 사칭
Rank misinterpretation	계급 사칭
Self-infliction	자해
Failure in duty; neglect of duty	근무 태만

Misuse of authority	직권 남용
AWOL (absent without leave)	무단 이탈
Desertion	탈영
Desertion from duty	근무 이탈
Insubordination	항명
False rumor; canard	유언비어
Submission	항복, 귀순
Official reprimand	징계, 견책
Admonition	훈계
Warming	경고
Cookhouse fatigue	취사 근무
Disciplinary confinement	근신
Confinement to barracks	외출 금지
Reduction of pay	감봉
Dismissal	파면
Downgrading	강등

PART 3

Military Sentence

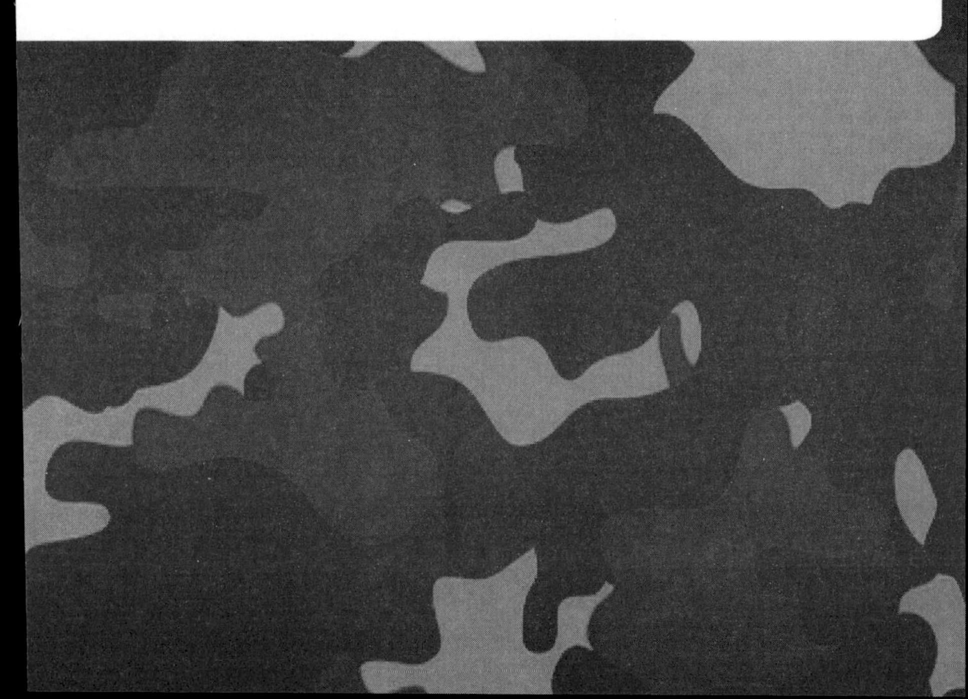

PART 3 Military Sentence

Lesson 1 SQUAD DRILL

Squad drill was on the schedule for the following day. The platoon fell in at 0930. Lt. Kin reported to the company commander, captain Brown. Then the platoon marched to the drill ground. There the squad leaders took over. Sgt. smith the noncom who responsible for basic training , gave them the necessary instructions.

A few minutes later there were clouds of dust all over the commands were shouted : "Attention! …… Fall in! …… Dress right, dress! …… Ready, front! …… Right, face! …… About, face! …… Squad, face! …… Squad, attention! …… At ease! …… Fall out! …… Fall in! …… Double time, march! …… Halt!

While the 1st and 2nd squads were practicing movements, the 3rd squad was practicing formations-line, column, column of twos. They had to do column of twos over and over again. The instructor was very angry because there was always someone who made a mistake and spoiled the formation. Besides, his men didn't move smartly enough. To wake them up he gave the order: "In place, double time, march!" The men were still doing this when sgt. keen appeared. He wasn't satisfied at all. Sinece t-he trainees were not yet accustomed to so much physical exercise, they were soon almost exhausted. So they were happy when he dismissed them at last.

In the afternoon the platoon marched to the rifle range, which was located about two miles from the camp. now, for the first time since their arrival, they left the barracks area. After the tough training in the morning , they enjoyed the march through the open country.

The area was rather flat and sandy. The range was situated beyond a chain of wooded hills to the west of the camps. they got there in the early afternoon. sgt. keen showed them around and explained the regulations, especially the safety regulations , to them. After a short rest the platoon marched back to the camp·········

After supper permission to leave the camp was granted for the first time. Private Bob and Bill went downtown tge nivues, Bill was still a little depressed after the hard day, but the western cheered him up. For a couple of hours he forgot the Army

Lesson 2 FIRING PRACTICE

On Monday, the 3rd platoon fell in at 0800 hours. Their rifles were inspected, and then they set out for rifle training. Firing practice was on the schedule. It was a fine morning, and the trainees were flad to fet ouf of the camp.

They had a lot of theoretical in formation on the use of the rifle, and now,for the first time, they had to use live ammunition. They had already learned to adjust the rifle for varying ranges, to align the sights properlt,and to take aim. They had practiced many times on the drill fround, These first steps in their weapons training had sometimes been boring, but they were necessary for later firing practice.

On the rifle range the platoon was taken over by the master sergeant who was responsible for weapons training. He reminded the trainees of the safety regulations and warnde them to be especially cautious on the range. Then the platoon was divided into several groups. Each group had a coach,an experienced corporal, who had to instruct, supervise, and help the men on the firing line, The atmosphere on the rifle range was quite different from the atmosphere on the darill ground. There was no shouting and running around.

Some trainees were a little excited, others became nervous when they were called to the firing line. There they got five rounds of ammunition. The coaches supervised the loading and locking of the rifle. then each trainee got into the right position, unlocked his rifle took aim,and squeezed the trigger smoothly until the shot rang out

Only a few trainees missed. the target. Most of them had faitly good scores. Some of them even hit the bull's eye. The coaches were satisfied,and even master setfeant. Tough was gappy. Capt. Jones showed up later and was surprised when he heard about the good results.

Of course,this was only the beginning of their firing practice with small arms. So far they had only fired at fixed target. There hadn't been any firing at moving targets yet. For lunch the platoon was back in the camp. In the afternoon the trainees had to clean their rifles thoroughly, because it is very important that soldiers always keep their weapons in good shape.

Lesson 3 FIELD TRAINING

The 3rd squad of "A" Company had already beenon guard for twelve hours when "B" Company fell in on the parade ground opposite the guardhouse. It was a fine morning. There had been a lot of rain overnight but now the sky was clear,and a powerful sun was shining. Infantry field training was on the schedule.

The trainees had been looking forward to this day. field training is more agreeable than practice on the drill ground, because the men don't have to keep step all the time, maintain silence, and the like. That's why they like field training,although in some respects it is often tougher than everyday training in the camp or a foot march. camouflage and concealment and orientation by map and compass were on the main pounts of the program on that day.

Before setting out for the foot march,the soldiers camouflaged themselves by using burlaps and live vegetation so that they would closely resemble or blend into the background. The company had been marching for nearlytwo hours along the main route when suddenly the command wsa given to seek concealment from air observation. within a few second the men had disappeared from the scene.Most of them assumed a firing opsition appropriate to the situation with maximum use of possible cober and concealment

After a short rest the company moved on. They crossed the railroad tracks near a level crossing and then followed a brook through meadows and past orchards until the valley opened into a sloping plain. There the company made a halt. The platoons were split into smaller groups. Maps and compasses were issued. Some groups had to descrivedifferent terrain features, otheres had to estimate the distances to or between certain landmarks and then to identify them on the map. A few squads were sent out as patrols with the mission to reconnoiter the area, and to meet at a fixed terrain point, or rallying point. At noon a mobile field mess took care of their empty sromachs

During a few halts on their march back to the camp, the squads practiced quick pitching and striking of tents. They were back in the barracks for supper. By that time the 3rd Squad of "A" Company was already off duty. The 2nd Squad had mounted guard for the next 24 hours.

Lesson 4 COMBAT TRAINING

It's a cool morning. "A" and "B" Companies are in the field combat training. "A" Company is the attacker. "B" Company the defender. one platoon of "B" Company is entrenched on the top of the Hill 505. The other two platoons are holding a village which is situated in a valley beyound a chain of hills. "A" Company is forming up on a plain south of the gills. The 1st and 2nd platoons of "A" Company are in attack, and the 3rd platoon is in reserve. The assembly area is hidden inmist.

In spite of bad weather conditions, a reconnaissance patrol of the 1st platoon was sent out earlier to locate the enemy. They have found out that he is occupying Hill 505,and that the weakest point of his defense is on the western slope. In the meantime.,the platoon leaders have just receined the attack order. The objective is the enemy opsition which is just outside the village and blocking the approach. The next task is to pin the enemy down with firepower. For this putpose, an additional mortar section has been attached to the company.

while the machineguns of-the 1st platoon and the fire of the mortar sections are golding down the enemy in his foxholes, the 2nd platoon is approaching the assault position. The 3rd platoon is in reserve. At the moment, the men of the 2nd platoon are crossing a meadow in single file. They can hardly see one another because of the thick mist. on the other hand, this mist is an advantage because the enemy is prevented from aiming accurately. At the assault position the men are ordered to deploy. They are crossing the open space in skirmish line. Under cover of the mist they reach the foot of the gill without suffering any casualties. There, they stop short. The hardest part of the mission, however, hasn't been accomplished. Shortly they will have to climb the hill and take the enemy position.

Now they are halfway up the slope. They are clear of the by can only advance by can only advance by taking full advantage of all the possible cover and concealment. The enemy on top of the hill is still kept down by heavy mortar fire; but there is still chine gun nest above the attacking platoon, which opens fire on them from the left side of the northern slope. This point of resistance has to be wiped out first. Three men of the platoon succeed in approaching it from the rear and taking the crew by surprise.

Lesson 5 ORGANIZATION AND WEAPONS OF AN INFANTRY BATTALION

Every soldier knows the importance of firepower to the infantry. Although the final destruction of the enemy by close combat is primarily the task of the infantry, the attacking force needs fire support in carrying out this difficult job. Artillery provides most of the fire support for the infantry, but an infantry battalion itself is so organized and equipped that it can furnish a great deal of fire support to its attacking companies

Let us consider the organization of an infantry battalion. An infantry battalion consists of a headquarters and geadquarters company, a weapons company, and three rifle companies. Each rifle company consists of a company headquarters, three rifle platoons, and one weapons platoon. The weapons company consists of a company headquarters, recoilless rifle platoon and three mortar squads. Each rifle platoon comsists of a platoon headquarters, three rifle squads, and a weapons squad. The weapons platoon contains a platoon headquarters, a mortar squad, and two machinegun squads.

Now let. us examine some of the weapons of an infantry battalion. In the headquarters and headquarters company you find such crew-served weapons as heavy machineguns. Crew-served weapons in the rifle companies include the following: light machineguns, antitank missile launchers, and mortars. Crew-served weapons in the weapons company include recoilless rifles and mortars. These are provided, of course, in addition to the individual weapons which are normally carried by the soldiers.

Each weapon has certain capabilities and limitations. A few examples will make this clear. The light machin gun is a portable crew-served weapon, which can easily be emplaced and camouflaged. It is capable of delivering a high rate of fire. However this weapon can only be used for direct fire, that is, for targets which can be observed by the crew. Ammunition resupply might be a problem since the weapon had such a high rate of fire. Mortars are less mobile and are normally transported on vehicles. They require more time to be emplaced than machine guns. They are used for indirect fire, I , e. ,the target does nor have to be observed by the mortar crew. A mortar fires a high trajectory. whereas a machine gun fires a flat trajectory. Mortars are capable of firing either high explosive shells, or illuminating shells, which burst in the air and light up the target area.

There are many different weapons, and the soldier must know not only how they are used, but also how they are maintained. To assist him in doing this, manuals are written about each weapon. Few soldiers are really interested in reading these manuals, but they have to study them carefully. with their help, the soldiers get to know their weapons thoroughly and are better able to assist in accomplishing the mission of the battalion.

Lesson 6 TACTICAL CONTROL MEASURES

The commander controls the maneuver units and supporting fires by means of tactical control measures. The tactical control measures insure teamwork and coordinaton between and within maneuver units and supporting fires. They not only minimize the possibility of defeat in detail by insuring the controlled application of combat power, but they also permit the commander maximum freedom of action within prescribed limits. Normally, tactical control measures include:time of attack, assembly area, attack position, line of departure, boundary, zone of action, axis of advance, direction of attack, check point, contact point, phase line, final coordination line, intermediate objective, and objective.

An assembly area is an area in which a command assembles to prepare for further action. The assembly areas are normally designated by the next higher command. For example. the company commander designates his dispersed platoon assembly areas. In the assembly area, the attack orders are issued maintenance and supply are accomplished, and the organization for combat is completed. The assembly areas should be positioned and prepared for all-round defense to the extent the situation and time permit. They should also provide concealment, room for dispersion suitable routes forward, and security from ground and air. when possible, they should be beyond the effective range of most enemy indirect fire weapons

An attack position is the last position short of the line of departure(LD) where rifle elements deploy into the initial arrack formations, fix bayonets, and accomplish the final coordination. It would offer cover and concealment from enemy observation and direct fire, be easily recognized on the ground, and belarge enough to accommodate the attacking elements in the initial attack formation. Attack positions should be designated even if they are not used. A halt in the attack position needlessly exposes the unit to enemy fires and reduces the degree of surprise which could otherwise be achieved. The company commander normally designates the exact location of the attack position for his attack platoons.

Time of attack is the time when the leading rifle elements of the attacking force cross the line of departure. Time of attack is always specified in the combat order to control both the maneuver and fire support elements. A line of departure should be an easily recognized featuring on the ground, generally perpendicular to the direction of attack, under control of friendly units, as close as possible to the enemy, and not under enemy direct fire or observation. when the LD specified by the battalion commander may be unsuitable for the elements of the company, the company commander selects and uses a company LD short of the battalion LD;however, it is imperative that the elements of the company cross the bbattalion LD at the time specified in the battalion order. when the LD cannot be fixed on the terrain, the line of contact(LC) may be designated as the LD. The line of contact is the front line along which our units are in contact with the enemy. If the line of contact is used as a line of departure, it will be marked "LD/LC" at each end of the arced line.

Lesson 7 FUNDAMENTALS OF THE OFFENSE

Destroying the enemy's fighting force is the only sure way of winning; therefore, forces undertake offensive operations primarily to destroy enemy forces. offensive opertions also have secondaty parpose, all of which contribute to destroying the enemy. elements of large attacking forces may undertake offensive operations specifically

To secure key or decisive terrain.
To deprive the enemy of resources.
To gain information.
To deceive and to divert the enemy.
To hold the enemy in position.

METT-T, weapons, and the higher commander's concept of operations determine the conduct of an offensive operation. what ever the plan may be, concentration, surprise, speed, flexibillby, and audacity are fundamental. First, concentration of effort is essential. second, the commander must strive to surprise the enemy. Third, the attack must move rapidly. Forth, the attack must be flexible. Finally, audacity has always been the keystone of successful offensive

A successful offensive action requires the concentration of

superior combat power at the decisive point and time.

In the offensive, the commander must exploit all available means to secure the assigned objuctive in the shoutest possible time.

Every effort is made to disrupt and neutralize enemy support and reinforcement actions.

Fire superiority must be gained early and maintained throughout the attack to permit freedom of maneuver without prohibitive loss.

Lesson 8 RECONNAISSANCE IN FORCE AND COORDINATED ATTACK

A reconnaissance in force is a limited objective operation to discover and test the enemy's disposition and strength or to develop other intelligence.

A reconnaissance in force is usually planned and executed as a limited objective attack.

The limited objective should be of such importance that, when threatened, it will force the enemy to react.

It the enemy situation must be developed along a broad front, a reconnaissance in force may be conducted using strong probing actions to determine the enemy situation at selected points.

The size of the force depends on the mission and the situation.

The size and composition of the force must be sufficient to cause the enemy to react in a manner that discloses his location disposition, and strength.

Upon completion of its reconnaissance, the force may remain

in contact with the enemy or it may withdraw.

The coordinated attack is a carefully planned and executed offensive action in which the various elements of an attacking force are employed in such a manner as to utilize their powers to the greatest advantage to the command as a whole.

A deliberate attack is thoroughly planned and coordinated, which takes considerable time.

A deliberate attack is necessary against well-organized enemy defense.

Once the attack is launched, flexibility and speed in the employment of combat power are paramount.

The attack is characterized by a series of rapid advances and assaults by maneuver and fire until the final objective is secured.

When the attacking force has seized the final objective, it will be dispersed, resupplied, and if necessary, reorganized.

The attack momentum is maintained by the advance of attacking echelons as rapidly as possible to their objectives.

The attack momentum is maintained by the timely employment

of reserves and timely displacement of combat support elements.

Lesson 9 EXPLOITATION PURSUIT

Exploitation is the bold continaution of an attack to maximize success.
Exploitation forces drive swiftly for deep objectives to seize command posts, to sever escape routes, to strike at reserves, artillery, and support units, and to prevent the enemy from reorganizing on effective defense.
A bold exploitation to destroy the enemy's ability to reconstitute a defense or to conduct an orderly withedrawal should always follow a successful attack.

The psychological effect of exploitation creates confusion and apprehension throughout the enemy force, reduces the enemy capability to react, and may be decisive.

Exploitation forces are normally designated by fragmentary Orders that are issued during the course of an attack.

Planning for exploitation begins during the preparation for the attack.

Regardless of the weather, successful exploitations continue day and night until enemy force is completely destroyed or can stop the exploitation with a reorganized defense.

Exploitation is usually initiated when indicated by decisive gains by friendly forces ;lessening of enemy resistance, and an increase in the number of prisoners captured and equipment abandoned.

Forces in the exploitation normally advance on a wide front, depending on the mobility of the force, road net, and other aspects of the terrain

Airmobile and airborne forces are used to secure objectives critical to the advance and to cut enemy lines of escape.

The effectiveness of the exploitation may be enhanced by the commitment of additional forces with a mission of following and supporting the exploiting force.

PURSUIT

The purpose of pursuit is to cut off and annihilate a retreating enemy by maintaining direct pressure on him and by intercepting and destroying his main force.

The purpose of the pursuit is to complete the destruction of the enemy force which has lost the ability to defend and is attempting to disengage.

Pursuit is the relentless destruction of retreating enemy forces who have lost the capability to resist.

Pursuit follows a successful attack and exploitation

A pursuing commander attempts to maintain pressure on the enemy to prevent the reconstruction of an orderly withdrawl.

As enemy demoralization begins and enemy forces disintegrate under relentless pressure, an exploitation may develop into a pursuit.

The pursuit differs from the exploitation in that its primary function is to complete the destruction of the enemy forces which are in the process of disengagement.

The pursuit usually consists of direct pressure and enveloping forces.

The mission of a direct pressure force is to prevent enemy disengagement and subsequent reconstitution of the defense and to inflict maximum casualties.

The mission of the enveloping force is to get in rear of the enemy and block his escape so that he can be destroyed between the direct pressure and enveloping forces.

Maximum use should be made of airmobile, airborne, armored, and mechanized elements in the enveloping forces.

Lesson 10 PENETRATION AND FRONTAL ATTACK

The penetration is demanded when weak spots in enemy's position are detected, or when terrain and observation are favorable.

The penetration of a well-organized position requires a preponderance of combat power and continued momentum of the attack.

Selection of the location of the penetration depends on terrain, strength and depth of the enemy position, maneuver room, distance to the objective, surprise, and plans of higher echelon

The main attack is made on a relatively narrow front and is directed toward the decisive objective.

Supporting attack(s) widen the gap, prevent the enemy from disengaging, or hampering the enemy's commitment of his reserve.

The frontal attack, using the most direct route, strikes the enemy all along his front.

The frontal attack may be used by the division in the exploitation but normally this form of maneuver is appropriate only for corps and higher levels of command.

A reserve is retained to permit redistribution of forces and to tack advantage of changes in the tactical situation.

The frontal attack is used when the attacker has overwhelming combat power

A frontal attack is often the best form or maneuver for a hasty attack in a meeting engagement or for exploiting the effects of nuclear or chemical strikes immediately after they occur

Lesson 11 ENVELOPMENT

In an envelopment, the main or enveloping attack passes around or over the enemy's principal defensive positions.

A supporting attack fixes the enemy to prevent his escape and reduce his capability of reaction against the main effort by forcing him to fight in two dirctions simultaneously.

The supporting attack also deceives the enemy concerning the location or existence of the main attack.

The success of the envelopment depends on surprise, mobility and the ability of supporting attacks and deception to hold the enemy in place.

Surprise is gained by secrecy, deception, unexpected maneuver and speed.

Mobility is increased by the use of cavalry, airbornem airmobil, tank, mechanized, and motorized units.

The double envelopment is a variation of the envelopment. In this maneuver, the attacker seeks to pass simultaneously around the flanks of the enemy.

The attacking force must have superior combat power and

mobility, and coordination and timing are required.

In the turning movement, the attacking force seeks to pass around and to secure an objective deep in the hostile rear. The purpose of this maneuver is to force the enemy to abandon his position or divert major forces to meet the threat.

Mobility, secrecy and deception enhance the opportunity for successful accomplishment of a turning movement.
A historical example of a turning movement is the amphibious landing at Inchon.

The encirclement offers the greatest possibility for fixing the enemy in position and permits his systematic capture of destruction. The encirclement requires the executing force to have numerical superiority and mobility much greater than is normal. The use of airborne or airmobile forces enhances the probability of success in this type of operation.

The battle is fought on ground of the commander's own choosing. A commander should create a situation which will place the enemy at a tactical disadvantage and offer opportunity for decisive counteroffensive.

Lesson 12 FUNDAMENTALS OF THE DEFENSE

Defensive operations achieve one or more of the following:

1) cause an enemy attack to fail.
2) gain time
3) concentrate forces elsewhere
4) wear down enemy forces as a prelude to offensive operations.
5) control essential terrain
6) Retain tactical, strategic, or political objectives.

The defense is a temporaryumeasure adopted until the forces can assume or resume the offensive. The destroy the enemy

The analysis of defensive terrain includes observation and field of fire, concealment and cover, obstacles, key terrain, and avenue of approach. The defender exploits the advantages of the terrain to the fullest extent to deny the enemy use of its advantage.

Artificial obstacles are located where they can stop or canalize the enemy.

The defender must position local security elements to provide timely warning.

The enemy may attack from an unexpected or likely direction. The defender must dispose his forces against any attack from any direction. The defender plans for all-round defense to reduce the possibility of the enemy surprise attacks.

The defensive area must have sufficient depth to allow the defender to contain the enemy and to permit the execution of counterattacks.

The defender must be prepared to take offensive action whenever the opportunity presents itself. The counterattack is often the key to success in the defense. A spoiling attack can keep the enemy off balance and prevent his massing forces.

The overall defense plan involves the careful integration and coordination of all defensive measures. Defensive operations are characterized by detailed planning and a degree of centralized control dictated by the type of defense conducted.

Achievement of mutual support may require forces to move and assemble.1

In modern warfare troop concentrations along the Main Line of Resistance (MLR) could be easily detected by enemy reconnaissance and destroyed by his nuclear weapons.

Planning, organization, and conduct of the defense are based on the following ten fundamentals:

1) proper use of terrain
2) security
3) All-round defense
4) Defense in depth
5) Responsiveness
6) Dispersion
7) Maximum Use of Offensive Action
8) Integration and coordination of defensive measures
9) mutual support
10) use of time available

The defender will develop more favorable conditions for subsequent offensive operations, econmize forces in one area in order to apply decisive force elsewhere, destroy or trap a hostile force, reduce the enemy capacity for offensive action, deny an enemy entrance into an area, or compel an enemy force to mass.

Lesson 13 RETROGRADE OPERATION

A retrograde operation is any organized movement of a command to the rear, to the flanks, or away from the enemy. A retrograde operation must be approved by the next higher commander.

Retrograde operations are conducted to:

Harass, exhaust, resist, delay, and inflict damage on the enemy.
Draw the enemy into an unfavorable position.
Permit the use of a force elsewhere.
Avoid combat under unfavorable conditions.
Gain time.
Re-position forces.
Shorten lines of communications.

Retrograde operations are classified as withdrawals, delaying actions, and retirements.

Retrograde movements are conducted to draw the enemy into an unfavorable situation. Retrograde movements are also conducted to shorten lines of communications. when a force not initially engaged with the enemy withdraws, its continued retrograde movement becomes a retirement.

Withdrawal is an operation by which all or part of deployed

force disengages from the enemy. Withdrawals without enemy pressure provide freedon of action since the commander selects the time of withdrawal. when withdrawing under pressure, the reserve frequently launches spoiling attacks to disorganize, disrupt, and delay the enemy attack.

Withdrawals may be executed when forced by enemy pressure or when the commander desires to withdraw in furtherance of future tactical operation. Withdrawals not under enemy pressure are favored over withdrawals under enemy pressure.

A withdrawal under enemy pressure depends primarily on mobility, firepower, control, and effective employment of covering forces, when simultaneous withdrawal is not practicable, the commander must determine the order of withdrawal.

When threatened with decisive engagement, the forces in contact with the enemy withdrawal slowly toward the next successive position causing maximum delay.

Reserves are deployed will forward to assist in the withdrawal by fire or ground attack. Reserves may also be used to cover the withdrawal and to extricate encircled or heavily engaged forces.

Delaying action is an operation in which a force under

enemy pressure trades space for time and inflicts maximum punishment on the enemy without becoming decisively involved in combat.

The purpose of delaying and defensive operations is to slow down the momentum of the enemy's attack, and to prevent him from penetrating deep in to the defense area in one single thrust.

In the delaying action, fires are decentralized and close combat is avoided. A delaying action may be accomplished on a single position, on successive positions, on alternate positions, or by suitable combination of these. A delaying action on successive positions continues until the enemy is halted and friendly forces regain the initiative.

The delay position should provide good observation and fields of fire, concealed routes of withdrawals, and cross compartments. The delay on alternate positions can be executed when the front is relatively narrow. To employ the delay on alternate positions, the command is organized into two elements: units on the initial delay position and units on the secondary delay position.

PART 4

Glossary

PART 4

Glossary

a

abatis
- 목책

About face!
- 뒤로 돌앗!

acknowledge
- 수신여하 귀소수신여부

adjacent unit
- 소총(혹은 가늠자)을 조정하다

adjutant general
- 부관

Aidman
- 위생병, 의무병

air assault
- 공중강습

Air Defense Artillery
- 방공포병

air interdiction
- 항공차단

Air Land Battle
- 공지전투

air liaison officer
- 공군연락장교

air observation
- 공중 관측

airborne
- 공수

airspace
- 공역

airstrike
- 공습, 대지공격

align the sights
- 조준선 정열을 하다

allocate
- 할당(배분)하다

allocations
- 배급량

all-round defense
- 사주방어

alternate
- 예비(대): 교체 부대

ambush
- 매복하다(lie in wait)

ammunition bearer
- 탄약수

annoyance
- 교대

area of responsibility
- 책임지역

area target
- 지역표적

arming range
- 장전거리

armor
- 기갑

armored personnel carrier
- 장갑수송인원

armored vehicles
- 장갑차량

army
- 군

assault
- 돌격

assault phase
- 돌격 단계

assault position
- 돌격진지: 돌격지점

assembly area
- 집결지

asset
- 자산

assigned sector
- 할당구역

At ease!
- 쉬어!

attach
- 배속시키다

attachment and detachment
- 배속 및 파견

attack heading
- 항공기의 공격방향

attack position
- 공격 대기지점

attacking echelon
- 공격 제대

attend
- 맡다: 책임지다

Attention!
- 차렷

audacity
- 과감성

augmented
- 증강된

automatic rifle
- 자동소총

avenue of approach
- 접근로

axis of advance
- 전진축

b

ballistic
- 방탄

barrel
- 총열

base platoon
- 기준소대

basic arm
- 기본화기

basic training
- 기초(군사)훈련

battalion
- 대대

battalion commander
- 대대장

battalion in line
- 대대횡대

battery
- 포병포대

battery commander
- 포대장

battle position
- 전투진지

battlefield survival
- 전장생존

bayonet
- 총검: 대검

bayonet drill
- 총검술 훈련

bayonet training
- 총검술 훈련

be attached to
- ~에 배속되어 있다

be beaten
- 패배하다

be clear of
- ~에서 벗어나다

be depressed
- ~에 임무분담을 하다

be dug in
- 참호 속에 배치되다

be exhausted
- 지쳐버리다

be fit for
- ~에 적합하다

be found of
- ~를(을) 좋아하다

be in full swing
- 한창 진행중이다

be in high spirits
- 사기가 높다: 기분이 좋다

be off duty
- 비번이 되다: 근무가 끝나다

be on guard duty
- 위병근무를 서다

be on hand
- 현재 보유하고 있다

be referred to as
- ~라고 불리다

be that as it may
- 어쨌든(anyway)

be used to
- ~에 익숙하다

beat feet
- 서둘러 가다: 뛰다(run quickly: hurry)

biological defense
- 생물학 방어작전

blow the bugle
- 나팔을 불다

bother
- 괴롭히다

bottleneck
- 애로

bound
- 경계를 정한다

boundary
- 전투지경선

branch
- 병과

breach
- 돌파

breach site
- 돌파지역

breach the obstacle
- 장애물을 개척하다

break
- 짧은휴식

break contact
- 접촉을 이탈하다

bridging equipment
- 가교장비

broad jump
- 넓이뛰기

buddy
- 친구

bugle
- 나팔

built-up area
- 건물지역

bullet
- 탄환

bulletin board
- 게시판

bull`s eye
- (표적의)중심: 흑점

bunk
- 침대

burlap
- 위장망(굵은 삼베로 만듦)

butt
- 개머리판

by shaking his morale
- 적의 사기를 뒤흔듬으로써

by surprise
- 기습으로

C

call sign
- 호출부호

call your shot
- 탄착점을 예언하다

camouflage
- 위장

camouflage
- 위장(하다)

canalizing effect
- 유인효과

canard
- 유언비어

cannon
- 대포(평사포, 곡사포, 박격포 등의 총칭)

connon-cocker
- 포병인

captain
- 대위

capture
- 점령

cardinal direction
- 기본방위방향

cartridge
- 탄약

cartridge case
- 탄피

cartridge supply
- 장전된 탄약

CAS
- 근접항공지원

case
- 탄알집

casualties
- 사상자

Casualty Collection Point
- 사상자 수집소

casualty evacuation
- 전상자 후송

center squad
- 중앙분대

ceremonial guard
- 의장대

chain of command
- 지휘체계

chain of hills
- 연달은 고지들

challenge
- 수하(하다)

challenge and password
- 수화 및 암구어

charging handle
- 장전 손잡이

Check point
- 확인점

cheer up
- 원기를 복돋우다: 사기를 돋우다

chemical agent
- 화학작용제

chemical corps
- 화학

show call
- 식사집합 나팔신호(yell at someone)

chow time
- 식사시간

cleaning
- 손질

clock reference
- 시계방향

close
- (~에) 접근하다: 근접 전투를 실시하다

close air support
- 근접항공지원

close combat
- 근접전투

close with
- ~에 접근하다

code word
- 음어

cohesion
- 응집력: 결집력: 단결심

cohesive element
- 통합부대

cold
- 완전히

collection point
- 수집소

collocate
- 인접 배치하다

column
- 종대

column of companies
- 대대종대

combat service support arm
- 전투근무지원병과

combat support
- 전투지원

combat support arms
- 전투지원병과

combat support company
- 전투지원중대

combat survival
- 전장생존

combatant
- 전투원

Com on!
- 자!: 어서!

command
- 부대(a unit)

command and control
- 지휘 및 통제

command post
- 지휘소

commanding officer
- 지휘관

commercial line
- 민간 전화

company executive officer
- 부중대장

company train
- 중대 치중대

complete order
- 완전명령

composition
- (부대의) 구성

concealment
- 차장(은패)

concept of operations
- 작전개념

concurrently
- 동시에

considerations
- 고려사항들

consolidate
- 진지강화하다: 통합하다

consolidation
- 모아 합치다

construction material
- 진지강화

Contact point
- 접촉점

contingency
- 우발상황

contour line
- 등고선

control measures
- 통제방책

coordinated
- 약정된

coordinates
- 좌표

coordination
- 협조

corps
- 군단

corps of engineers
- 공병

counter
- 대응하다

counterattack
- 역습

cover and concealment
- 엄폐와 은폐

covered by
- 엄호 하에

crawling
- 포복

cross level
- 균등분배하다

crosswise
- 가로로

crouching position
- 지향 사격자세

cultural feature
- 인공물

cycle of operation
- 작동순환

d

dayroom
- 휴게(오락)실

deadly effect
- 치명적 효과

deception
- 기만

decisive point
- 결정적 지점

decontamination
- 제독제

decontamination kit
- 제독키트

defeat in detail
- 격갸격파

defective parts
- 결합부품

defensive operations
- 장어작전

defilade
- 차폐

defiles
- 애로

degree of incline
- 경사도

degree of surprise
- 기습의 정도

deliberate attack
- 정밀공격

deliberate crossing
- 정밀도하

delineate responsibility
- 책임을 명시하다

deliver fire
- 사격을 가하다

demolition
- 폭파

demolitions
- 폭약

deny
- 거부(차단)하다

deploy
- 전개하다 : 산개하다

detail
- 사역 분담을 하다

detainee
- 억류자

detention barrack
- 영창

deviation
- 이탈

difficult terrain
- 험란한 지형

digit by digit
- 숫자별로: 숫자 하나씩

disengagement
- 근무이탈

dismiss
- 해산하다

disorganized
- 와해된

dispensary
- 의무실

dispersion
- (부대의) 배치

disruption
- 와해

distinguish oneself
- 두각을 나타내다

division
- 사단

Double time march
- 뛰어갓!

draft call
- 입영통지서, 영장, 징집영장(draft notice)

draft notice
- 징집영장

draw
- (보급을) 받다: 얻어내다

Dress right, dress!
- 우로 나란히!

drill ground
- 연병장

duty officer
- 당직사관

e

echelon
- 제대

effective range
- 유요사거리

eliminate
- 제거하다

embankment
- 제방: 둑

emplaced munitions
- 비치된 탄약

encode
- 암호화하다

enemy ambush force
- 적 매복부대

Enemy Prisoner of War
- 적포로

enforcement
- 집행

engage the enemy
- 적과 교전하다

engagement area
- 교전지역

escarpment
- 급경사면

espionage
- 간첩(행위)

essential task
- 필수과업

e-tool
- 야전삽

evacuation of wounded
- 부상자 후송

execution
- (작전의) 시행

exert
- 발휘하다: 행사하다

exploitation
- 전과확대

f

facilitate
- 용이하게 하다

failure in duty
- 근무 태반

fall in
- 집합하다

Fall out!
- 혜쳐

false rumor
- 유언비어

false duty
- 사역: 잡역

field artillery
- 야전포병

field latrine
- 야전변소

field training
- 야외훈련

fields of fire
- 사기

fighting morale
- 전투사기

figures
- 숫자로 부르겠다

funal coordination line
- 최종협조선

finance
- 경리

finish the enemy
- 적을 격멸하다

fire and maneuver
- 사격과 기동

fire power
- 화력

fore support
- 화력지원팀

fire support officer
- 화력지원장교

fire support team
- 화력지원

firing line
- 사선

firing practice
- 가격훈련: 사격연습

first sergeant
- 중대 행정보급관

first-aid man
- 위생병: 구급요원

fit into
- ~에 끼어들다

fix
- 고착(固着)시키다(pin down)

fix the enemy
- 적을 고착시키다

fixed target
- 고정표적

flash deflector
- 소염기

follow-in forces
- 후속부대

foothold
- 발판: 기지

footlocker
- 사물함

forbid
- 금지하다

fording
- 도섭

fortification
- 축성

forward observer
- 전방관측자

forward position
- 전방진지

forward slope
- 전사면

foxhole
- 개인호

fragmentary order
- 단편명령

fragmentation grenade
- 세열수류탄

front sight
- 가늠쇠

full colonel
- 대령

g

gain a decision
- 승리하다

general and special guard orders
- 일반 및 특별 보초 수칙

get shot
- 사격을 받다: 사격을 당하다

get up
- 기상하다

give the alarm
- 경보를 발하다

go ahead
- 계속 말하라

go ashore
- 상륙하다

go over
- 복습하다

go to bed
- 취침하다

government issue
- 관급물품

grazing fire
- 최저표척사격

grenadier
- 유탄발사기 사수

gird square
- 격자방안

grid system
- 방안 좌표법

ground observation
- 지상관측

ground of vital importance
- 중요지형

ground tactical plan
- 지상전술 계획

guard duty
- 위병근무(보초, 순찰 등의 근무)

guardhouse
- 위병소

h

Halt!
- 제자리 섯!

hammer
- 공이치기

hand grenade
- 수류탄

handle
- 취급하다

hand-to-hand fighting
- 백병전

hasty attack
- 급속공격

hasty protective minefield
- 급조 방호지뢰지대

heavy weapons company
- 중화기중대

hinge on
- ~에 달려있다

hit the mark
- 표적에 명중시키다

honer down
- 고착시키다

honed
- 연마된

honer guard
- 의장대

hoof it
- 걷다(go on foot)

hostile territory
- 적지

i

I read back
- 복창한다

I say again
- 제송한다

I spell
- 음성문자로 송신하다

I verify
- 확인하다

identification
- 신분확인

identify
- 식별하다

ignite
- 점화시키다

illumination
- 조명

immediate area
- 인접지역: 지근지역

in a single file
- 일렬종대로

in accordance with
- ~에 따라(서)

In place, double time march!
- 제자리로 뛰어갓!

in style
- 멋있게

induction station
- 징병소

Infantry
- 보병

infiltration
- 침투

initial attack formation
- 최초공격대형

initiative
- 주도권

inspecting officer
- 검열관

inspection in quarters
- 내무검열

inspection in ranks
- 부대검열

installation
- 시설물

instruction
- 지시: 교육

integrate
- 통합하다

internee
- 구류자

issuance
- 허덜

issue
- 불출하다, 지급하다

j

jamming
- 전파 방해

jeopardizing target
- 위협적인 표적

k

keep on the alert
- 빈틈없는 경계를 하다

keep step
- 발을 맞추다

key terrain feature
- 중요 지형(지물)

kill zone
- 살상지역

kitchen police
- 취사근무: 취사병

knock off
- 제거하다

l

land navigation
- 독도법

landmark
- 지표(물)

lateral maneuver
- 측방기동

laterally
- 측면으로

lead squad
- 선두분대

left flak squad
- 좌측분대

lieutenant
- 중/소위

lieutenant colonel
- 중령

lifesaver
- 인명구조대원

lifting of fire
- 사격연신

lifting or shifting
- (사격) 연신 또는 전환

light infantry rifle platoon
- 경보병 소총소대

likely avenues of approach
- 예상접근로

line
- 횡대

line of companies
- 대대횡대

line of contact(LC)
- 접촉선

line of departure(LD)
- 공격 개시선

line of duty
- 근무 계통

listening silence
- 무선 침묵

live ammunition
- 실탄

load management
- 전투 휴대량 관리

loading and licking
- 장전 및 잠금

locte
- 찾아내다

locate a weakness
- 장전 및 잠금

locker
- 정돈함

lockup
- 영창

lubrication
- 주유

lull
- 일시적인 전투중지: 소강상태

m

machine gun nest
- 기관총좌

magazine
- 탄알집: 탄창

main effort
- 주공: 주력

maintenance
- 정비

make a rush
- 약진하다

malfunction
- 기능장애

maneuver
- 기동

maneuver unit
- 기동부대

map reading
- 독도법

march in review
- 분열

marked
- 현저한: 두드러진

marker`s gallery
- 감적호

mask
- 제한하다: 가리다

mass
- 집중하다

master sergeant
- 상사

materiel
- 물자

mechanic
- 기술자, 기계수리공

mechanized infantry
- 기계화보병

medical company
- 의무중대

medical corpsman
- 위생병

medical officer
- 군의관

medical orderly
- 당직위생병

mess sergeant
- 취사 담당관

military occupational specialty
- 군사주특기

military symbol
- 군대부호

minor wound
- 경상

mission specific
- 임무에 특정한

mission-essential task
- 팔수임무과업

mission-orinted protective posture(MOPP)
- 임무형 보호태세

mobile field mess
- 이동 야전 취사반

mobile land warfare
- 기동지상전

mobility
- 기동성

momentum
- 공격기세

mortar platoon
- 박격포 소대

mortar section
- 박격포반

MOS(military occupational specialty)
- 군사주특기

motorized rifle platoon
- 차량화 소총소대

mount guard
- 경계를 서다

mounted forces
- 탑승병력

move by bounds
- (구간)이동하다

movement control pont
- 이동통제점

movement to contact
- 집결이동

moving target
- 이동표적

MTP(Mission Training plan)
- 임무훈련계획

multiple lanes
- 복수침투로

muzzle
- 총구

n

navigation
- 위치확인

neglect of duty
- 근무태만

neutralize
- 무력화하다

next higher command
- 차상급부대

night vision devices
- 야간관측:1 야시장비

night watch
- 불침번

noise and light discipline
- 방음 및 소등 군기

nucleus
- 핵심: 중심

nullify
- 무력화하다

o

oath of enlistment
- 입대선서

objective rally point
- 목표상 재집결지

observation post
- 관측소

observe
- 준수하다

odd and even numbers
- 홀수와 짝수

offensive operations
- 공격작전

officer of the day
- 당직사관

off-loading
- 하역작업

one at a time
- 한번에 하나씩

open ranks
- 간격을 넓히다

open space
- 개활지

operations order
- 작전명령

operational assistance
- 작전지원

oral operations order
- 구두 작전 명령

ordnance
- 병기

organization fir combat
- 전투편성

organization record
- 부대기록

orient
- 적응시키다

out
- 교신 끝

outfit
- 군인의 개인 피복 및 장비 일체

outpost
- 전초

over
- 이상

overlay
- 투명도

overwatch
- 엄호하다

overwatching platoon
- 감시소대

p

parade ground
- 연변장: 열병 또는 분열식 장소

pass
- 외출증: 외박증

pass in review
- 분열

passage
- 인계/인수

passage point
- 통과지점

password
- 암구어

patrol
- 정찰(대)

patrol route
- 정찰로

peak
- 정상: 정점(summit)

penetration
- 돌파

personal clothing and equipment, dbrcpwjr
- 개인 피복 및 관리

personal hygiene
- 개인위생

personnel management
- 병력관리

pertinent information
- 관련첩보

phase the attack
- 공격을 단계화하다

phonetic alphabet
- 음성문자

physical examination
- 신체검사

physical exercise
- 체력단련

physical toughness
- 육체적 강인성

pick up the radiation
- 방사능에 오염되다

pile, arms!
- 걸어 총!

pistol belt
- 딴띠

pit
- 감적호

pitch and strike
- (천막따위를)가설하고 철거하다

platoon
- 소대

platoon headquarters
- 소대본부

platoon sector sketch
- 소대작전구역 약도

platoon sergeant
- 소대선임하사: 부소대장

playing field
- 운동장

point man
- 첨병

point target
- 점표적

police
- 청소하다

position
- 배치하다

post
- (영구적인)군 주둔지

potable
- 식(수)용

preassault bombardment
- 공격준비폭격

preclude
- 제외하다: 제외하다

prepartion phase
- 준비단계

primary fighting positions
- 주전투진지

primer
- 뇌관

prineciples of war
- 전쟁원칙

priority of fires
- 화력의 우선권

priority of targets
- 표적우선순위

private
- 이병

probable line of deployment
- 예상전개선

procure
- 조달하다

projectile
- 탄환

propellant
- 추진장약

proposed target
- 요청표적

protocol and liaison
- 의전 및 연락

provision
- 보급품

q

quartering party
- 설영대

quartermaster
- 병참

r

radio
- 무선

radio check
- 감도점검

radio operator
- 무전병

radio station
- 무선통신소

radius fallout
- 낙진 반경

raid
- 습격

rally point
- 집결지

rallying point
- 재집결 지점

range card
- 사경도

range-finding works
- 거리 특정작업

ranger rifle platoon
- 특공소총소대

rations
- 전투식량

read back
- 복창하라

ready to copy
- 받아 쓸 준비됐나

ready, front!
- 바로!

rear area operations
- 후방지역 작전

rear sight
- 가늠자

receiver
- 몸통

recognitions signal
- 인식표시

reconnaissance company
- 수색 중대

reconnoiter
- 수색하다: 정찰하다

recruit
- 신병: 초년병

reference point
- 참조점

refine
- 세밀하게 하다

regiment
- 연대

registered letter
- 등기우편

rehearsal
- 예행연습

release point
- 분진점

release the firing mechanism
- 격발장치를 작동시키다

relief feature
- 기복지형

relier on place
- 전투간 현지교체

relieve
- 교대하다

reorganize
- 재편성하다

repair
- 수리

repel
- 격퇴하다

replace
- 교체하다

replacement
- 후임자: 보충역

reposition squads and weapons
- 분대 및 화기를 재배치 하다

required of leaders
- 지휘자에게 요구되는

rest plan
- 휴식계획

restrictions
- 재한사항

retain
- 유지하다: 확보하다

retirement
- 철퇴

retreat formation
- 하기식 집합

retrograde operations
- 후퇴작전

reveille
- 기상 점호 집합

revers slope
- 반사면(反辭面)

ridge
- 능선

rifle
- 강선

rifle range
- 소총사격장

rifle training
- 소총훈련

rifling
- 강선

Right face!
- 우향 우!

right flank squad
- 우측분대

rigid
- 엄밀한: 엄격한

road junction
- 도로교차점

room for dispersion
- 소산공간

rounds of ammunition
- 여러 발의 탄약

route forward
- 진진로

routing
- 전달: 발송

rucksack
- 배낭

rules of engagement
- 교전규칙

S

safety regulations
- 안전수칙

salute to the colors
- 국기에 대한 경례

satchel charge
- 후대용 폭약 및 기폭장치

say again
- 재송하라

scabbard
- 대검집

scheme of maneuver
- 기동계획

scout
- 척후 척후병: 척후기

screen
- 차장하다

section
- 반(班)

sectors of responsibility
- 책임구역

secure
- 확보하다

security
- 경계: 안전: 보안

security force
- 경계부대

security perimeter
- 외주경계

segregated
- 격리된

seize or secure
- ~을 탈취 및 확보하다

seizure
- 탈취

semiautomatic
- 반자동의

sensor
- 감지기

sentry
- 보초

separate command
- 독립 부대

service company
- 근무중대

set out
- 출발하다

shifting of fire
- 사격전환

shock offect
- 충격효과

short of
- 못 미쳐서

shortages and shortcomings
- 부족 및 결함

shot
- 총성

shot group
- 탄착군

shoulder weapon
- 견착식 화기

sighting and aiming
- 조준선 정렬 및 정조준

sights
- 가늠장치(가늠자와 가늠쇠)

signal corps
- 통신

signal interference
- 신호에 의한 통신 간섭

signal opration instructions
- 통신운용지시

silence
- 무선 침묵

silence lifted
- 무선침묵 대기해제

sketch
- 요도

skirmish line
- 산개대형

sling
- 멜빵

sloping plain
- 경사진 평원

sluggishly
- 완만하게

smoke
- 연막

sniper
- 저격수

solid ground
- 딱딱한 땅

sortie
- (전투기의)출격

souvenir
- 기념품: 선물

speak slower
- 천천히 송신하라

special detail
- 특수임무: 특별작업

special-purpose attack
- 특무목적공격

sped to the rear
- (급히) 후송하다

spoil
- 전리품, 약탈품

sporadic
- 산발적인

sprocket
- 전차기동륜

squad drill
- 분대훈련

squad leader
- 분대장

Squad, attention!
- 분대, 차렷!

squeeze
- 당기다

Stack, arms!
- 걸어총

stand to attention
- 차렷 자세를 하다

stand for
- 나타내다 :상징하다

stand-to
- 대기: 경계태세

star cluster
- 오성신호탄

stated mission
- 명시된 임무

static targer
- 고정표적

stay-behind operations
- 잔류작전

stock
- 개머리

stop short
- 갑자기 멈추다

straddling
- 협차사격

strength
- 병력

strike flight
- 공습비행대

stuff up
- 가득 채우다

subdivision
- 하위집단

subparagraph
- 소항목

succession of command
- 지휘권 승계

supplementary position
- 보조진지

supply personnel
- 보급병
  <*cf.*> mess personnel
      - 취사병

supply room
- 보급 창고(실)

supply sergeant
- 보급담당관

supporting attack
- 조공

supporting fire
- 지원사격

suppressive fire
- 제압사격

survival technique
- 생존기법

suspender
- 멜빵

sustainment load
- 유지휴대(장비 및 물자)

sustainment operations
- 유지작전

switchboard
- 교환대

synchronize
- 통합하다

t

tactical control measures
- 전술통제방책

tactical operations center
- 전술작전본부

tactical standing operating procedures
- 전술작전예규: 전술의 행동 절차

take aim
- 정조준하다

take on oath
- 선서

take off
- (옷 따위를) 벗다

take one's temperature
- ~의 체온을 재다

take over
- ~을 이수하다: 일을 떠맡다

Take, arms!
- 풀어 총!

tangle foot
- 지선

tanker
- 기갑인

taps
- 취침나팔: 점호

task organization
- 편조, 부대편성

tear up
- 찢어버리다

template
- 형판: 상황판

tenet
- 준칙

tentative plan
- 잠정계획

terrain feature
- 지형지물

terrain model
- 사판: 지형모형

theaterwide
- 전 전역全戰域에 걸친

tie in ~to(with)
- ~을 ~와 묶다

time of attack
- 공격개시시간

time proven
- 오랜시간에 입증된

time on target
- 표적공격시간

tight situation
- 곤경에 처한

toilet kit
- 세면도구함

toilet article
- 새면도구(비누, 삼푸등)

topographic crest
- 지형적 정상

topographic symbol
- 지형부호

track
- 궤도

trail
- 뒤를 따르다

trail squad
- 후미분대

train
- 병참부대

trainee
- 훈련병

training projectile
- 교탄

transient target
- 이동표적

transmit
- 송신하다

trench
- 참호

trench line
- 참호선

trigger
- 방아쇠

trigger guard
- 방아쇠 울

trigger housing group
- 방아쇠 뭉치

troop-leading procedures
- 부대지휘 절차

turn
- 차례

u

unit
- 유닛

unity of effort
- 전투력의 통합 노력의 통일

unlock
- (자물쇠를)풀다

Unpile, arms!
- 풀어 총!

until relieved
- 임무 교대될 때까지

v

vegetation
- 초목

verbatim
- 축어적인

verify
- 검증하다

vigilant sentry
- 불침번

violence
- 맹렬함: 폭력

visibility
- 가시성

voice circuit
- 음성회로

voice transmission
- 음성전송(통신)

vulnerable flank
- 취약한 측방

W ~ Z

warning order
- 준비명령

water velocity
- 유속

weapon squad
- 화기분대

weapons training
- 화기훈련

wear
- 마모

wedge
- 삼각대

well-defined terrain feature
- 명확한 지형지물

wilco
- 정확히 수신하였으며 지시대로 시행하겠다

wipe out
- 소탕하다

with stealth
- 은밀하게

withdrawal
- 철수

without permission
- 무단으로

work up
- 연구하다: 정리하다: 계산하다

zero in
- 영점사격하다: 영점을 획득하다

zone of action
- 작전지역

PART 5

Abbreviations

PART 5

Abbreviations

< A >

AAA: Anti-aircraft Artillery 방공포병

AAE: Army Aviation Element 육군 항공대

AAR: Air to Air Refueling 공중급유

AASLT: Air Assault 공중 강습

AAW: Anti-Air Warfare 대공전

AB: Air Base 공군기지

ABC: Atomic, Biological and Chemical 화생방

ACBLT: Air Contingency Battalion Landing Team 공수대대 비상 착륙팀

ACC: Air Component Command 공군 구성군 사령부
Air Control Center 항공 통제 본부

ACCR: Air Component Command Regulation 공군구성군사 규정

**ACL: allowable cargo load 인가 탑재중량

ACP: Allied communications Publication 연합통신 간행물

ACR: Armored Cavalry Regiment 기갑수색연대

ACSP: Assistant Chief of Staff, personnel 인사참모부(장)

AD: Air Defense 방공

ADA: Air Defense Artillery 방공포병

**ADC: area damage control 지역피해통제

**ADM: atomic demolition munition 원자 폭발물

**admin/log: administrative/logistics 행정군수

**ADO: air defense office 방공장교

AEW: Airborne Early Warning 공중조기경보

AF: Air Force 공군

AFAS: Advanced Field Artillery System 차세대 자주포

AFB: Air Force Base 공군기지

AFKN: American Forces Korea Network 주한미군 방송망

AFOC: Air Force Operations Command 공군 작전 사령부

*AFSOF: Air Force special operations forces 공군 특수작전부대

**AG: Adjutant General 부관참모(감)

AGI: Auxiliary General Intelligence 일반정보 보조

**AGL: Auxiliary Ground Operations	공지작전
AGS: Auxiliary Gathering Ship	정보 수집함
**AH: attack helicopter	공격용 헬기
AI: Air Interdiction	항공후방차단
AIC: Army Intelligence Command	육군 정보사령부
AIS: Army Intelligence School	육군정보학교
AKTCAE: USA Korea Technical Control and analysis Element	주한미 육군 기술통제분석반
ALB: Air Land Battle	공지전투
**ALO: air liaison office	공군 연락장교
ALOC: Aerial Line of Communication	항공병참선
AM: Amplitude Modulation	전폭 변조
AMC: Air Mobility Command	미 공수사령부
AMHS: Automated Message Handling Equipment	자동 전문처리장비
AMO: Air Mobile Operation	공중기동작전
AMW: Amphibious Warfare	상육전
*AO: Area of Operations	작전지역
AOA: Amphibious Objective Area	상륙목표지역

*AOR: Area of Responsibility 책임지역

**AP: armored-piercing 철갑

APC: Armored Personnel Carrier 장갑인원수송차

APO: Army Post Office 군사우체국

ST: Air Refueling 공중재급유

*ARFOR: Army forces headquarters 육군본부

*ARSOF: Army special operations forces 육군특수작전 부대

**ARTEP: Air Raid Warming 공습경보

ASAS: All Source Analysis System 종합 정보 분석체계

ASCG: Ammunition Supply Coordination Group 탄약지원협조단

ASG: Area Support Group 지역지원단

ASOC: Air Support Operations Center 항공지원작전본부

ASP: Ammunition supply Point 탄약보급소

ASR: Ammunition supply Route 탄약보급로

ASUW: Anti-surface Warfare 대 수상전

ATACMS: Army Tactical Missile System 지대지 유도무기

ATC: Army Transportation Command 육군 수송사령부

ATG: Amphibious Task Group 상륙기동단

**ATGM: antitank guided missile 대전차 유도탄

ATSP: Air Terminal Supply Point 항공단말보급대

**ATP: ammunition transfer point 탄약전환(인도)지점

ATT: Army Training Test 육군 훈련시험

AVNDDE: Aviation Brigade 항공여단

AVRE: Assault Vehicle Royal Engineers 습지극복 매트

*AWACS: Airbrne Warning and Control System 공중경보 및 통제체제 (공중조기경보기)

AWF: All-Weather Fighter 전천후 전투기

AWS: Air Weather Service 항공기상근무(대)

< B >

BAI: Battlefield Air Interdiction 전장항공차단

BCIS: Battlefield Combat Identification System 전장 전투 식별 체계

BCTP: Battle Command Training Program 전투지휘참모훈련

BCWG: Battle Coordination Working Group 전장협조실무단

*BDA: Battle Damage Assessment 전투피해평가

B/L: Basic Load 기본 휴대량

BMNT: Beginning Morning Nautical Twilight 해상박명초

Bn: Battalion 대대

BO: Black put 등화관제

BOQ: Bachelor Officers' Quarters 독신장교숙소

**BOS: battlefield operation system 전장운영체제

**BSA: brigade support area 여단지원지역

BSL: Bomb Safety Line 폭격안전선

BTCS: Battalion Tactical Computer System 포병대대 사격지휘 자동화 장비

BWP: Basic War Plan 기본 전쟁계획

< C >

*CA: Civil Affairs 민사
Convening Authority 소집권한
**Counter Air 대공(對空)

CAC: Comb Arms Command 전투병과교육사령부

CAF: Combined Aviation Force 연합육군항공부대

CALO: Combined Airlift Office 연합공수사무소

CAN-K: Combat Assessment Model-Korea 전투평가 모델

CAP CORPS: Corps 수도군단

**CARP: computed air release point 공중 폭탄투하 지점

CAS: Close Air Support 근접항공지원

CASOP: Crisis Ation System Oprating Procedures 위기조치예규

CAT: Crisis Action Team 위기조치반

CBR: Chemical, Biological and Radiological 화생방

CCL: Civilian Control Line 민인 통제선(민통선)

**CCT: combat control team 전투 통제반

CCTV: Closing Circuit TV 폐쇄 회로 TV

C&G: Cover and deception Operations 엄폐 및 기만작전

CDC: Capital Defense Command 수도방위 사령부

CEB: Combat Engineer Battalion 전투공병대대

CEMS: Construction Equipment MultipurposeSection 다목적 굴착기

CEOI: Communications-Electronics Operation Instruction 통신전자 운용지시

CEVG: Combat Evaluation Group 전투평가단

CIA: Central Intelligence Agency 중앙정보부

CIDS: Command Information Display System 지휘정도 전시체계(화상회의)

*CINC: Commander in Chief 사령관

CIOC: Combined Intelligence Operation Center 연합정보 운영센터

CIS: Commonwealth of Independent States 톡립국가연가

*CJCS: Chairman, Joint Chief of Staff(US) 합참의장

Class Ⅰ: Supplies - Subsistence 1종-식량

Class Ⅱ: Supplies - Clothing and Individual Equipment 2종- 피복 및 개인장구

Class Ⅲ: Supplies - Petroleum Oils, and Lubricants 3종 육류

Class Ⅳ: Supplies- Construction Material 4종 축성자제

Class Ⅴ: Supplies - Ammunition 5종-탄약

Class Ⅵ: Supplies - Personal Demand Items 6종- 피엑스 물품

Class Ⅶ: Supplies - Major End Items 7종- 주요 완제품

Class Ⅷ: Supplies - Medical Material 8종- 의무물자

Class Ⅸ: Supplies - Repair Parts 9종- 수리부속품

CLC: combat Logistics Center 전투군수본부

CLCC: Combined Logistics Coordinating Committee 연합군수협조위원회

**CLGP: cannon-launched guided projectile 레이저 유도 폭탄

CM: Court-Martial 군법회의

CMIC: Combined Military Interrogation Center 군 합동심문소

**CMO: civil-military operations 민사작전

CNCC: Commander, Naval Component Command 해군구성군사령관

**COA: coures of action 방책

COB: Co-located Operating Bases 공동운영기지

COMCMFC: Commander, combined Marine Forces Command 연합해병사령관

CONINT: Communications Intelligence 통신정보

COMJAM: Communications Jamming 통신 방해

**CONNEX: communications exercise 통신연습

*COMMZ: Communications Zone 병참지대

COMSEC: Communications Security 통신보안

CONSPOT: Communications Spot Report 통신상황 보고

CONOPS: Concept of Operations 작전계념

COP: Command Observation Post 지휘관측소

**COSCOM: corps support command 군단 지원 사령부

CP: Check Point 검문소

CPSC: Combined Petroleum Support Center 연합 유류지원본부

CPX: Command Post Exercise — 지휘소 연습

C-R: Confidential-Republic of Korea /United States — 한-미 3급 비밀

*CRC: Combat Reporting Centers — 중앙관제소

CRDL: Critical Requirement Deficiency List — 주요 소요부족 목록

CRP: Combat Reporting Posts — 지방관제소

CSCT: Comvat support Coordination Team — 전투지원 협조반

CSE: Combat Support Equipment — 전투지원장비

CSP: Communications Support Processor — 통신지원절차

**CSR: Controlled Supply Rate — 통제보급률

CSS: Central Security Service — 중앙보안기관
**combat service support — 전투근무지원

CTF: Combined Task Force — 연합 기동 부대

CTMC: Combined Transportation Movement Center — 연합 수송이동본부

CVBG: Aircraft Carrier Battle Group — 항공모함 전투단

< D >

*DA: Department of the Army — 미육군성

DAG: Division Artillery Group	사단 포병군
DBSL: Deep Battle Synchronization Line	중심전투 통합선
DCA: Defensive Counter-air	방어제공
D-Day: The day on which an operation commence or is due to commence	작전개시(예정)일
Decon: Decontamination	제독(除毒)
DEFCON: Defense Readiness Condition	방어준비태세
DFSC: Defense Fuels Supply Center	(미)국방부 유류보급본부
**DISCOM: division support command	사단 지원 사령부
DIVLEW: Division Level Wargame Model	사단 워게임 모델
DMZ: Demilitarized Zone	비무장지대
DPER: Daily Personnel Effectiveness Report	일일 병력보고
DSC: Defense security Command	국군보안사
DSP: Defense Support Program	방어지원계획
DZ: Drop Zone	낙하(투하)지대

< E >

EA: Electronic Attack	전자공격

*EAC: Echelons Above Corps 군단급 이상 제대

*EAD: echelons above division 사단급 이상 제대

**ECCM: electronic counter-countermeasure 전자방해 방어대책

**ECM: Electronic Counter-Measures 전자방해대책

E&E: Escape and Evasion 도피 및 탈출

EEI: Essential Elements of Information 해상박명종

**ELINT: Electronic Intelligence 전자정보

**ELSEC: electronic security 전자보안

EM: Enlisted Man 사병

EMCON: Emission Control 전파 발사 통제

**EPW: Enemy Prisoner of War 적포로

**ESM: Electronec Warfare Support Measures 전자전 지원방책

**ETA: estimated time of arrival 예상도착시간

< F >

F/A: Fighter/Attack 전투기/공격기

**FA: Field Artillery 포병

*FAAD: forward area air defense 전방지역방공포대

**FAC: Forward Air Controller 전방항공통제관

**FAST: Forward area support team 전방지역팀

**FAX: facsimile 전송사진, 복사전송장치

FCG: Full Combat Gear 완전군장

FCO: Fire Control Officer 화력통제장교

**FCL: fire coordination line 화력협조선

**FD: fire direction 사격지휘

**FDC: fire Direction Center 사격지휘소

**FEBA: Forward Edge of the battle Area 전투지역 전단

**FFA: free fire area (포병)자유사격지역

**FIST: Fire Integrated Support Team 화력 통합지원반

FIST-V: Fire Support Team-Vehicle 관측반용 장갑차

FLIR: Forward Looking Infrared 전방감시용 적외선 장비

FLT: Front Line of Trace 전방 접촉선

**FM: Frequency Modulation 주파수 변조방식

FMS: Foreign Military Sales 대외군사판매

*FMSP: Foreign Military Sales Program 외국 군사판매 계획

**FO forward observer 관측장교

*FORSCOM: United States Forces Command 미군 사령부

**FPF: Final Protective Fire 최후저지사격

**FRGO: fragmentary order 단편명령

*FRAGPLANL: fragmentary plan 단편계획

FROG: Free Rocket Over Ground 프로그 미사일(지대지)

**FS: fire support 화력지원

FSA: Fire Support Area 화력지원지역

**FSC: fire support coordination 화력지원협조

**FSCC: Fire Support Coordination Center 화력지원협조소

**FSCL: Fire Support Coordination Line 화력지원 협조선

**FSE: Fire Support Element 화력지원반

**FSO: fire support officer 화력지원장교

ft: feet 피트

FTX: Field Training Exercise 야외훈련연습

< G >

GBU: Guided bomb Units 항공유도 폭탄류

**GEMSS: Ground Emplaced Mine Scattering System	지상살포식지뢰
GHz: Gigahertz	기가헤르쯔(전파단위)
**GL: Grenade Launcher	유탄발사기
**GLLD: ground laser locator designator	지상감시 레이더
GLSB: GeneralLogistics Support Base	일반 군수지원기지
GOP: General Outpost	일반초소
GP: Guard Post	감시초소
GR: Graves Registration	영현등록
**GS: General Services Support	일반지원
**GSA: General Services Administration	미연방 조달청
**GSR: ground surveillance radar	지상감지 레이더

< H >

HARTS: Hardened Artillery Site	갱도포병진지
HAWK: Homing All the Way Killer	호크
HDRF: Homeland Defense Reserve Forces	향토예비군
**HE: high explosive	고폭탄

**HEAT: high-explosive antitank 대전차 고폭탄

HEAT_MP: high explosive Antitank Multi Purpose 다목적 대전차 고폭탄

**HEDP: high-explosive dual-purpose 이중목적 고폭탄

HELR: High Explosive Infrared 고성능 적외선

**HEI-T: high-explosive incendiary-tracer 고폭 소이 예광탄

HET: Heavy Equipment Transport 중장비 수송차량

**HF: High Frequency 고주파

**HHC: headquarters and headquarters company 본부 및 본부중대

HIMAD: High-Medium Air Defense 중, 고고도 방공무기체계

HOMARS: High-Mobility Artillery Rocket System 고기동 다련장 로켓

HORES/2: Secoud Generation High Resolution 차세대 고감도형

HMCT: Highway Management control Teams 육로이동관리반

**HMMWV: high-mobility, multipurpose wheeled 고기동성 다목적 차륜차량

**HQ: headquarters 사령부, 본부

HRDIV: Homeland Reserve Division 향토예비 사단

**HSS: health service support 위생근무 지원

HTACC: Hardened Tactical Air Control Center 전술항공 통제본부

HR: Homeland Reserve 향토예비군

HRD: Homeland Reserve Division 향토사단

**HUMINT: Human Intelligence 인간정보

< I >

**IAEA: International Atomic Energy Agency 국제원자력 기구

IBM: International Business MAchine IBM컴퓨터장비

ICBM: Intercontinental Mallistic Missile 대륙간탄도탄

**ICM: Improved conventional Munition 개량탄

ICR: Intelligence Collection Requirements 정보수집요구

ICTT: Improve Command Tactical Terminal 지술지휘 단말

ID: Infantry Division 보병사단

**IED: imitative electronic deception 모의 전자기만

**IEW: intelligence and electronic warfare 정보 및 전자전

IFF: Identification Friend of Foe 피아 식별

IFV: Infantry Fighting Vehicle 보병 전투용 장갑차

IH: Improved Hawk 개량호크미사일

IIR: Imagery Intelligence Report 영상판독보고

IM: Intercepter 요격유도탄

**INS: Intelligence navigtion system 관성항법장치

INTREP: Intelligence Report 정보보고

IP: Inentive Pay 위험수당

**IPB: intelligence Preparation of the Battlefield 전장정보분석

IPDS: Inland Petroleum Discharge System 지상유류 분해장치

**IPW: Interrogation Prisoner of War 포로심문

**IR:: Information Requirements 첩보요구

IRBM: Intermediate Range Ballistic Missile 중거리탄도탄

ISSA: Inter-Service Support Agreements 각군 상호지원협정

ITM: Intercepter Tactical Missile 전술요격미사일

ITP: Integrated Tasking Order 통합 임무명령서

< J >

JA: Judge Advocate 법무

**JAAT: joint air attack team 합동 공중 공격팀

**JAG: judge advocate genral 법무감

*JCS: Joint Cgiefs of Staff	합동참모본부
*JFC: joint force commander	합동부대 지휘관
JFLCC: joint force land component commander	합동부대 지상구성군 사령관
JMA: Joint Mobillzation Augaentation	전지 증원표
JMP: Jiont Manpower Program	합동인력계획
*JOA: joint operations area	합동작전 지역
JOPS: Joint Operation Planning System	합동작전 계획체제
JOTS: Joint Operation Tactical System	합동작전용 전술경보체제
JSA: Joint Security Area	공동 경비구역
JTF: Joint Task Force	합동 특수임무부대

< K >

KAIS: Korean Air Intelligence System	한국 항공정보체계
KAL: Korean AIr Lines	대한한공
KALCC: Korean Airlift Control Center	한국 공수통제본부
KATUSA: Korean Augmentation to United States Army	카투사
KB: Knwledgeability Brief	신문첩보 보고

KDIA: Korean Intelligence Agency 한국 정보본부

KEPCO: Korean Electric and Power Company 한국 전력공사

**KIA: Killed in action 전사(자)

KIDA: Korean Institute for Defense Analysis 한국국방연구원

KMPA: Korea National Railroad 한국 해운항만청

KPA: Korean People`s Army 조선인민군

K-SAM: Korea Surface To Air Missile 한국형 단거리 대공 유도탄

KT: Korean Telecom 한국통신(주식회사)

KTACS: Korean Tacical Air Conterol 한국 전술 항공통제체제

KTMF: Korean Tactical Map Facility 한국 육군지도창

< L >

LAA: Limited Access Authorizations 제한접근 인가(요원)

LAN: Local Area Network 근거리 통신망

**LAW: light antitank weapon 경 대전차무기

LCG: Logistics Coordinating Group 군수협조단

**LD: line of departure 공격개시선

LIB: Light Infantry Brigade 경보병여단

LNO: Liason Officer — 연락장교

LP: Listening Post — 청음초

LP&P: Logistics Policies and Procedures — 군수방침 및 절차

LW: Light Warning — 등화관제

< M >

MAA: Military Armistice Agreement — 군사정전협정

**MAC maintenance allocation chat — 정비할당표

MARFOR: Marine Corps firces — 해병대

**MBA: main battle area — 주전투지역

MC: Military Committee — 군사위원회

MCC: Movement Control Center — 이동관리대

MCI: Meal, Combat Individual — 전투식량

MCM: Mine Countermeasures — 대지뢰 방책

MCRC: Master Control and Reporting Center — 중앙방공관제소

M-Day: The day on which mobilization commences or is due to commence — 동원개시일

MDT: Mutual Defense Treaty — 상호방위조약

Mech INF DIV: Mechanized Infantry Division 기계화보병사단

MEB (AMPHIB): Marin Expeditionary Brigade (Amphibious) 해병원정여단(상륙군)

MEDEVAC: medical evacuation 의무환자 후송

MEF: Marine Expeditionary Force 해병원정군

METCOM: Meteorological Communications 기상통신망

METL: Mission-essential task list 임무주요과제목록

METSAT: Meteorological Satellite troops, and time available 임무, 적, 지형 부대 및 가용시간

MHE: materials-handling equipment 물자 취급 장비

MI: Military Intelligence 군사정보

MIA: missing is cation 실종(자)

MIC: Military Intelligence Center 군 정보센터

MILAN: Missle Infantry Light Anti-Armor 보병 경대전차 유도무기

MILPO: military personel office(s) 군 인사처

MIRS: multiple-launch rocket sysem 다련장 로케트 체제

MIRV: Multiple Independently Targetable Reentry 다탄두핵미사일

MISDN: Military Integrated Services Digital Net work 군 종합정보 통신망

MIW: Mine warfare	지뢰전
MLC: Martial Law Command	계엄사령부
MLR: Multi Launch Rocker	다련장 로케트(방사포)
MLRS: MLR System	다련장로케트체제
MMC: materiel of National center	물자관리 본부
MOGAS: motor gasoline	휘발유
MOPMS: modular-packed mine system	상자 살포식 지뢰
MOPP: mission-oriented protective posture	임무형 보호태세
MOREX: Mobilization Exercise	동원훈련
MOS: Military Occupational Specially	군사주특기
MOUT: Militray Operations in Urban Terrain	시가지 군사작전
MPAF: Ministry of the peoples armed forces	인민 무력부
MR: Mobilization Reserve	동원예비군
MRD: Mobilization Reserve Lanucher	동원사단
MRE: Meal, Ready to Eat	전투식량
MRL: Multiple Rocket Launcher	다련장 로켓트포, 방사포
MRV: Multiple Reentry Vehicle	다탄두 미사일
MSCG: Main Supply Coordinating Group	의무보급협조단

MSR: Main Supply Route 주보급로

MTOE: modified table of organization and equipment 수정 편제 장비표

MWD: Militray Watch Dog 군견

< N >

N/A: Not Applicable 해당 무

NAI: Named Areas of Interest 관심표적지역

NATO: North Atlantic Treaty Orgenization 북대서양 조약기구

NAVOCEANCOM: Nalval Oceanographic command 해군 해양사령부

NBC: Nuclear, Biological and Chemical 화생방

NBCC: Nuclear, Biological and Chemical Center 화생방 통제소

NCA: National Command Authority 국가통수기구

NCC: Nacal Coomponent Command 해군구성군사령부

NCO: Noncommissioned Officer 부사관

NCS: net control station 무선 통신망 통제소

NDS: NUDET Detection System 핵폭팔 탐지체제

NEDN: Naval Environmental Data 국가비상회의

NFA: No Fire Area 사격금지구역

NGF: naval gun fire 함포사격

NIS: National Intelligence service 국가정보 통감

NKIS: Northern Limit Line 북방한계선

NOAD: Nacal Ordnance Ammunition Depot 해군 병기탄약창

NOC: Naval Operations Command 해군 작전사령부

NOD: Night Observation Device 야간관측장비

NSW: Naval Special Warfare 해군 특수전

NUDET: Nuclear Detonation 핵폭발

NVG: night vision goggles 야시 장비(야간 투시경)

< O >

OAC: Officers' Advenced Course 고등군사반

ORDR: Origination Agency's Determination 미 국방성 공보담당차관보실

OB: Order of Battle 전투서열

OBC: Officers' Basic Course 초등군사반

OIC: officer in change (of) 책임장교, 담당장교

OJT: On the Job Training 실무교육

OP: observation post 관측소

POCON: Operational Control 작전통제(권)

OPMG: Office of Provost Marshal General 헌병감실

OPORD: Operations Order 작전명령

OPSEC: Operations security 작전보안

OR: Operation, Research 운영분석

OWR: Obligated War Reserve 필수전쟁예비물자

< P ~ Q >

PA: Public Affairs 공보

PAO: Public Affairs Office(r) 공보장교, 공보실(장)

PAR: Processing Analysis Reporting 분석, 처리, 보고

PARADROP: Parachute Drops 낙하산투하

PAT: Public Affairs Team 공보반

PB: Panel Bridge 조립교

PCM: Pulse Code Modulation 펄스코드 변조

PDM: Pursuit Deterrent Mine 휴대용 투척지뢰

PFT: Portable Flame Thrower 휴대용 화염방사기

PHIBOPS: Amphibious Operations 상륙작전

PHOTINT: Photo Intelligence 사진정보

PIO: Public Information Officer 공보장교

PL: Phase Line 통제선

PLD: Probable Line of Deployment 예상전개선

PLL: prescribed load list 규정 휴대량 목록

PM: preventive maintenance checks and service 예방정비 점검 및 지원

POL: Petroleum Oils, Lubricants 가솔린, 석유, 오일 등 각종 유류

POW: Prisoner of War 전쟁포로

PPWR: Prepositioned War Reseres 사전비축 전쟁예비

PREPFOGE: Preparatory Fire 공격준비사격, 예비사격

PSER: Personnel status and Effectiveness Report 병력형황보고

PW: Prisoner of War 전쟁포로

PWE: PW Enclosure 포로수용소

PWRM: Prepositioned War Reserve Material 사전배치 전쟁예비물자

PWRS: Prepositioned War Reserve Stock 사전비축 전쟁예비 재고

QRF: Quick Reaction Force　기동타격대

< R >

RAANS: remote antiarmor mine system　살포식 대전차 지뢰 체제

RAOC: Rear Area Operations Center　후방지역 작전본부

RAP: rear area protection　후방지역 방호

RASIT: Radar Surveillance Intercept Terrain　지상감시 레이더

RATT: radio teletypewriter　무선전신 타자수

RB: Reconnaissance Bureau　정찰국

RCU: Remote Control Unit　원격조정장치

RDF: Radio Direction Finding　무선 방향 탐지기

RDT&E: Research, Development, Test and Evaluation　연구, 개발 시험 및 평가

RECEXREP: Reconnaissance Exploitation Report　정찰판독 보고

recon: reconnaissance　수색

repl: replacement　보충(품, 병)

req: required　소요

RF: radio frequency　무선 주파수

RFA: restrictive fire area 사격 제한지역

RFI: radio frequency interference 무선 주파수 방해

RFL: Restricted Fire Line 사격제한선

RIF: Reduction in Force 병력감축

RMTU: Reserve Mobilization Training Unit 예비군동원훈련부대

ROE: Rules of Engagement 교전규칙

ROK: Republic of Korea 대한민국

ROKA: Republic of Korea Army 한국 육군

ROKAF: Republic of Korea Fir Force 한국 공군

ROKAMC: Republic of Korea Army Mapping Center 한국 육군지도창

ROKJCS: Republic of Korea Joint Chiefs of Staff 한국 합참

ROK MND: Republic of Korea Ministry of National Defense 한국 국방부

ROKN: Republic of Korea Navy 한국 해군

ROKSP: ROK Special Force 한국특전부대 (육군)

ROTC: Reserve Officers Training Corps 예비역장교 훈련단

RP: release point (ground traffic) 분진점

RPV: remotely piloted vehicle 원격조정 무인 항공기

RRS: Remote Receive Server 전방 근접 영상수신 장비

R&S: Reconnaissance and Surveillance 정찰 및 감시

RS: radiation status 방사능 현황

RSOP: Reconnaissance, Selection, and Occupation of Position 진지정찰, 선정 및 점령

RSR: Required Supply Rate 소요 보급률

RTC: Replacement Training Center 신병훈련소

RWI: radio wire integration 유무선 통합망

< S >

SA: Security Assistance 안보지원

SAC: Strategic Air Commend 전략공군사령부

SAG: Surface Action Group 해상전투단

SAI: Significant Area of Interest 주요관심분야

SALT: Strategic Arms Limitation Talks 전략무기제한협상

SAM: Surface to Air Missile 지대공 유도탄

SAMS: Standard Army Maintenance System 표준육군정비체제

SARTF: Search and Rescue Task Force 탐색 및 구조대

SATCOM: Satellite Communications 위성통신

SB: Sniper brigade 저격여단

SCO: Security Control Officer 보안통제장교(한국)

SCTY CLNC: Security Clearance 비밀취급인가

SDC: Student Defense Corps 학도호국단

SDR: Source Directed Requirements 대상자 요구 첩보

SEAD: Suppression of Enemy Air Defenses 적 방공제압

SEAL: sea-air-land 해상, 공중 및 지상

SECON: Security Condition 보안태세

SEE: small emplacement excaator 소형 다목적 굴착기

SERE: Survival, Evasion, Resistance, and Escape 생존, 도피, 저항 및 탈출

SEWS: Satellite Early Warning System 위성조기경보체제

SFGA: Special Forces Group, Airborne 공수특전단

SFOB: Special Forces Operational Base 특수작전기지

SHORAD: Short Range Air Defense 단거리 방공무기

SIGINT: Signal Intelligence 신호정보

STMAP: Situation Map 상황도

SITREP: Situation Report	상황보고
SJA: Staff Judge Advocate	법무참모
SLOC: Sea Lines of communication	해상병참선
SMA: Sergeant Major of the Army	육군주임원사
SN: Service Number	군번
SOC: special operations command	특수작전 사령부
SOF: Special Operarion Forces	특수작전부대
SOFA: Status of Forces Agreement	한미 행정협정
SOI: singal operation instructions	통신운용 지시
SOP: Standing Operation Procedures	내규, 예규
SOSUS: Sound Surveillance System	음향 탐색체계
SSAN: Social Security Account Number	주민등록번호
SSB: Single side band	일변 주파수
SSI: Standing Signals Instructions	통신준칙
STAMIDS: Standoff minefield Detection System	원거리 지뢰탐지 체계
STW: Strike Warfare	타격전

< T >

TA: Table of Allowance	장배 배당표
TAA: Tactical Assembly Area	전술집결지역
TAC: Tactical Air Command	전술공군사령부
TACAN: tactical air navigation	전술공군 항법 장치
TACC: tactical air control center	전술항공 통제본부
TACD: Tactical Deception	전술기만
TACE: Tactical Control and Analysis Element	전술통제 및 분석반
TACELINT: Tactical Electronic Intelligence	전술전자정보
TACON: tactical control	전술적 통계
TACSAT: tactical satellite communication	전술위성 통신
TAI: Targerted Areas of Interest	중요표적지역
TAR: tactical air reconnaissance	전술항공 정찰
TARS: Tactical Air Reconnaissance and Surveillance	전술항공정찰 및 감시
TASE: Tactical Air Support Command	전술항공 지원반
TBM: Tactical Ballistic Missile	전술 탄도탄
TD&A: Table of Distribution and Allowance	분배 및 할당표

TEWT: tactical exercise without troops	전술 도상연습
TFS: Tactical Fighter Squadron	전투비행대대
TM: Technical Manual	기술교범
TOC: Tactical Operations Center	전술작전본부
TOD: Thermal Observation Debice	열상관측장비
TOE: Tables of Organization and Equipment	편성 및 장비표
TOT: Time On Target	일제사격, 티오티 사격
TOW: tude-launched, optically tracked, wire-guided	대전차 미사일, 토우
TPT: Tactical Petroleum Terminal	전술 유류보급대
TRE: Tactical Reconnaissance Element	
TSOP: tactical standing operating procedure	전술 예규

< U >

UAV: unmanned aerial vehicle	무인 항공기
UBL: Unit basic Load	기본휴대량
UDT: Underwater Demolition Team	수중폭파선
UH: utility helicopter	다용도 헬기

UHF: Ultra High Frequency 극초단파

UMN: Underwater Mine 수중기뢰

UNC: United Natios Command 유엔군사령부

UNCSF: United nations Command Security Forces 유엔사 경비대

UNITREP: Unit Readiness Program 부대 준비태세 계획

USA: United States Army 미 육군

USAF: United States Sir Force 미 공군

USCINCPAC: commander-in-chief, United States Pacific Command 미 태평양 사령관

USFK: United States Forces Korea 주한미군

USIS: United States Information Service 미 첩보국

USJCS: United States Joint Chiefs of Staff 미 합동참모본부, 미 합참

< V ~ Z >

VHF: Very High Frequency 초단파

VIP: Very Important Person 귀빈

VOB: Voice Operation Branch 감정

VT: variable time 가변 시간

VTC: Video Tele-Conference 화상회의

Vtol: vertical take-off/landing 수직이착륙

WAC: Women's Army cprps 여군단

WAN: Wide Area Network 광역 통신망

WG: Weather Group 기상반

WGS: world Geodetic System 세계좌표체계

WMR: Wartime Movements Requirements 전시 이동소요

WO: Warning Order 준비명령

WP: white phosphorus 백린 연막탄

WR: War Reserves 전쟁 예비

WROE: Wartime Rules of Engagement 전시교전 규칙

WRS: War Reserve Stock 전쟁예비 재고

WRSA: War Reserve Stock for Allies 동맹국을 위한 전쟁예비 재고

WSA: Weapon System Analysis 무기체계분석

ZF: Zone of Fire 사격 (발사)지대

| 참고 문헌 |

1. 영문법 Bible 이경주 어학 세계사
2. 토익 아이콘 황장연외1 DARAKWN
3. Basic English 김인철외5 영민사
4. College English 정재문 korea publishing co.
5. 스타토익 베이직 이상철 챔프 스터디
6. 영자신문 독화기술 소병록 어학 세계사
7. 우선순위 영 숙어 안용덕 비전
8. 군사영어 이광보외3 진영사
9. 군사영서 정진권외6 육군본부
10. 기초영문법 박일규외1 노력개발
11. English for Exam 이리라 YBM
12. 토익 스피킹 이소영외4 YBM
13. 군사영어 조규택 정림사
14. 실용군사영어 우충환 북스힐
15. 군사영어사전 임영창 문무사
16. 군사전략작전전술 김정필 반석출판사

■ 저 자 ■

김 호 용

- 동아대 경영대학원 경영학석사
- 한남대 일반대학원 경영학 박사
- ㈔신가치 경영 연구원 이사
- 대한 경영 정보 학회 이사
- ㈶군수 기술 연구소 연구위원
  현, 전주비전대학 군사학부, 교수

홍 수 미

- 미국 Maine East High School, 졸업
- 미국 Purdue University Health Science, 졸업
- 전주대학교 영어영문과 TESOL, 석사
- 전, 우석대학교 호텔관광학과 Native Speaker, 교수
  현, 전주비전대학 보건행정과 교양영어, 교수
  현, 전주완주지역경찰서 외교과 영어통역위원

MILITARY ENGLISH
군 사 영 어

발 행 일 | 2013년 10월 25일
3 쇄 | 2018년 9월 7일
공 저 | 김호용, 홍수미
발 행 인 | 박승합
발 행 처 | 노드미디어
등 록 | 제 106-99-21699 (1998년 1월 21일)
주 소 | 서울특별시 용산구 한강대로 341
대한빌딩 206호
전 화 | 02-754-1867
팩 스 | 02-753-1867
홈페이지 | http://www.enodemedia.co.kr
I S B N | 978-89-8458-283-5-93740

정가 18,000원